D1239151

LE LIVRE
DE L'INTERPRETATION
DES REVES

Valéry Sanfo, Diane Von Alten et Angèle Toffoli

LE LIVRE DE L'INTERPRETATION DES REVES

ÉDITIONS DE VECCHI S. A.
52, rue Montmartre
75002 PARIS

Malgré l'attention portée à la rédaction de cet ouvrage, les auteurs ou l'éditeur ne peuvent assumer une quelconque responsabilité du fait des informations proposées (formules, recettes, techniques...).
Il est conseillé, selon les problèmes spécifiques – et souvent uniques – de chaque lecteur, de prendre l'avis de personnes qualifiées pour obtenir les renseignements les plus complets, les plus précis et les plus actuels possible.

Des mêmes auteurs aux éditions De Vecchi :

Valéry Sanfo
Guide pratique de l'autohypnose, 1990.
Les tarots divinatoires, 1987.
Mauvais œil et sortilèges, 1983.
Guide pratique de la télépathie, 1993.
L'extraordinaire pouvoir des rêves, 1993.

Angèle Toffoli
Le manuel pour interpréter les rêves, 1984
L'horoscope facile, 1985
Vos rêves et la chance, 1989.

Diane Von Alten
Guide complet pour interpréter les rêves, 1988.

Traduction de la première partie : Thérèse La Valle et Périne Mordacq

Traduction de la deuxième partie : Périne Mordacq

Traduction de la troisième partie : Ivana Cossalter

Imprimé en Italie

Introduction

Comprendre le message des rêves est une quête permanente. Nous rêvons tous, mais nous ne nous souvenons pas souvent du contenu de ces moments de notre « autre vie » et nous avons des difficultés d'interprétation.

Les rêves peuvent être un moyen pour résoudre divers problèmes et effectuer certains types de recherches, mais leur importance est plus grande encore pour nous aider dans notre relation aux Autres.

Ce livre se présente sous forme d'une anthologie qui reprend de très larges extraits d'ouvrages connus sur les rêves :
• *L'extraordinaire pouvoir des rêves*, de Valéry Sanfo.
• *Guide complet pour interpréter les rêves*, de Diane Von Alten.
• *Le manuel pour interpréter les rêves*, d'Angèle Toffoli.

Il a comme objectif de mieux nous faire comprendre que toutes nos facultés paranormales existent dans notre inconscient à l'état latent. Cet ouvrage se décompose en trois parties complémentaires :
– les mécanismes du sommeil et ceux des rêves ;
– un dictionnaire des songes prémonitoires ;
– une étude de « l'influence de la lune sur les rêves ».

Parce qu'ils ont toujours été tenus en grande considération dans toutes les civilisations – comme nous le verrons dans la première partie de cette anthologie, les rêves ont été étudiés tout au long du siècle par les psychanalystes et les écrivains les plus éminents. Les travaux de Valéry Sanfo, Diane Von Alten et Angèle Toffoli permettent de faire le point sur cette recherche.

L'interprétation des rêves est une clef fondamentale dans la compréhension de notre « Moi » le plus secret et pour l'interprétation des visions les plus surprenantes qui nous sont parfois données sur notre futur.

Avec cette anthologie, le lecteur trouvera une documentation rigoureuse pour déchiffrer le sens de ses rêves et mieux comprendre les symboles qui en émergent. L'objectif est d'aider le lecteur à bien se souvenir de ses rêves, à en découvrir l'explication et à en déchiffrer la valeur prémonitoire et symbolique.

PREMIERE PARTIE
Le sommeil et le pouvoir des rêves

par Valéry Sanfo

Le sommeil et les rêves

Comme celle de tous les êtres vivants la vie de l'homme alterne entre le sommeil et la veille, selon un rythme qui lui est propre. Chez l'homme, le besoin de sommeil varie selon l'âge ; les nouveau-nés dorment plus de 20 heures par jour tandis que l'adulte a besoin de 8 heures de sommeil. Avec l'âge, le besoin de sommeil diminue sensiblement et peut se réduire à 4-5 heures par nuit. Il ne faut pas croire que nous gâchons une grande partie de notre vie en dormant! Au contraire, le sommeil est indispensable et, ainsi que nous le verrons par la suite, nous continuons à vivre en dormant et à faire des expériences de façon différente.
Le sommeil n'est pas seulement indispensable à l'homme, mais aussi à tous les êtres vivants.
Les saisons froides permettent aux plantes de se reposer dans l'attente du réveil printanier et de la pleine activité estivale.
Toute la création se meut en deux temps : la passivité et l'activité. La passivité – dans notre cas le sommeil – est indispensable comme préparation et création de l'activité.
Chaque nuit, nous entrons dans un état de passivité qui nous permet d'affronter une nouvelle journée et tous les stress physiques et psychiques qu'elle comporte. Ceux qui souffrent d'insomnie savent bien combien il est désagréable et difficile d'affronter une journée sans avoir pu dormir, et par conséquent sans avoir pu se régénérer. Le sommeil se divise en plusieurs phases. Tout d'abord, les paupières s'alourdissent ; nous avons du

mal à les tenir ouvertes, c'est le premier stade du sommeil, appelé somnolence, dont la durée moyenne est de 5 minutes. Durant cette phase, les ondes électriques émises par l'écorce cérébrale deviennent plus lentes que durant l'état de veille. Les ondes qui leur succèdent, appelées ondes alpha sont encore plus lentes (4 ou 6 périodes par seconde) et la somnolence s'accentue, bien que l'on ne puisse encore parler de sommeil stable.
Au bout de vingt minutes environ, on entre dans le stade du « sommeil confirmé » ; les ondes émises par le cerveau sont encore plus lentes.
Cette phase dure approximativement 20 minutes.
Au cours du troisième stade le sommeil profond est atteint ; au cours du quatrième stade, c'est le sommeil très profond.
Après le quatrième stade, un passage ultérieur, nous entraîne dans le monde fascinant des rêves ; il s'agit du sommeil REM, un sigle anglais qui signifie « Rapid Eyes Movements », c'est-à-dire mouvements oculaires rapides. En effet, durant la phase REM, les yeux se meuvent sous les paupières comme s'ils suivaient des images en mouvement. Cette phase est celle du rêve. Chez un individu qui dort environ 8 heures, les diverses phases du sommeil que nous venons de citer se répètent durant quatre cycles complets ; par conséquent, le stade REM se répète 4-5 fois par nuit et dure chaque fois 15-20 minutes, soit un total de 90-100 minutes. Voilà le temps que nous dédions chaque nuit à nos rêves y compris les personnes qui ne se souviennent pas de leurs rêves.
Examinons plus en détail la phase REM. Cette phase du sommeil est caractérisée par des réactions physiologiques intéressantes.

Les yeux, nous l'avons déjà dit, se comportent comme si le sujet regardait quelque chose. La différence de potentiel des ondes cérébrales est 5 fois supérieure (300 millivolts) au rythme de l'état de veille.
La respiration passe des périodes ayant 10 secondes d'abstention à des périodes de tachypnée, caractérisées par une accélération de l'acte respiratoire qui peut dépasser 50 respirations par minute.
Les battements cardiaques se modifient ; normalement ils s'accélèrent.
Chez l'homme l'érection totale ou partielle du pénis se produit souvent. La température corporelle augmente. Il est beaucoup plus difficile de réveiller une personne en train de rêver qu'une personne au stade du sommeil profond : il faut un bruit de 80 décibels pour une personne qui rêve et 60 décibels pour une personne au stade du sommeil profond. Cependant, si le bruit a une valeur émotive, par exemple des pleurs d'enfant, il franchit beaucoup plus facilement la barrière protectrice du sommeil.
Le sommeil a une part très active dans notre vie ; certains rêves laissent une trace tellement profonde dans notre mémoire que nous les rappelons toute notre vie.
Mais pourquoi rêvons-nous ?

Selon Sigmund Freud (1856-1939), le rêve est la réalisation masquée d'un désir refoulé. En rêvant, le sujet réalise un désir qu il n'a pas encore ou ne pourra jamais réaliser dans la réalité. Après Freud, Karl Gustav Jung (1875-1961) approfondit la recherche sur les rêves en passant du symbolisme individuel au symbolisme collectif.
Selon Jung, l'homme porte en lui des souvenirs primordiaux qui appartiennent à l'humanité et remontent à des temps immémoriaux. Chaque individu porte dans son inconscient ces souvenirs ancestraux, appelés archétypes. (Voir également le chapitre « les symboles des archétypes »).
Ainsi, les symboles du feu et des divinités, la magie et le rituel sont des éléments importants qui émergent de temps en temps dans le subconscient et s'expriment dans les rêves en assumant une valeur individuelle et personnelle étroitement liée à la vie psychique du rêveur.
Bien analysés et compris les rêves peuvent nous aider à mieux connaître notre moi.
D'autres théories voient dans le rêve une soupape de sécurité et le moyen de défouler notre moi : durant la nuit, nous libérons ce que nous avons refoulé pendant la journée ; les problèmes qui n'ont pas été résolus, les humiliations que nous avons subies, etc. Tout cela forme la matière des rêves.
Les animaux rêvent aussi et il semble que l'intensité de leurs rêves soit liée à leur évolution ; des traces de sommeil REM, et par conséquent de rêve, ont été enregistrées chez les tortues. Les oiseaux présentent une activité onirique plus intense que les reptiles ; chez les mammifères, les rêves sont très fréquents, en particulier chez les animaux domestiques. Les personnes qui ont un chien ou un chat ont certainement eu l'occasion d'observer leur étrange comportement lorsqu'ils rêvent ; le chien, par exemple, grogne et montre les dents.
La phase REM a été longuement étudiée chez les animaux. Une expérience importante est celle du chat que l'on place sur un support entouré d'eau. Lorsque le chat endormi atteint la phase REM, il est totalement relaxé et tombe à l'eau ; il se réveille, remonte sur son support et retombe dans l'eau dès qu'il atteint à nouveau la phase REM.
On sait ainsi combien de fois le chat entre dans une phase REM, et par conséquent, combien de fois il rêve.
Chez les enfants, en particulier chez les nourrissons, le temps dédié au rêve est bien plus long que chez l'adulte.
D'ailleurs, les rêves des nourrissons sont la reproduction de sensations : par exemple, la tiédeur du corps maternel, le plaisir éprouvé pendant la tétée, etc.
Le rêve est tellement important que si on supprime chez un sujet la phase REM, en lui administrant des médicaments, on peut créer de graves troubles psychiques qui peuvent le conduire à la folie. C'est la raison pour

laquelle on déconseille de prendre des somnifères car ils éliminent la phase REM du sommeil. En outre les somnifères altèrent les diverses phases du sommeil et, par conséquent, les rêves ; de ce fait, la soupape de sécurité ne s'ouvre pas et l'esprit reste encombré de problèmes, tensions et sentiments de culpabilité qui peuvent se traduire par de graves troubles psychiques.
Le fait d'interrompre de force la phase du rêve peut compromettre l'équilibre de l'homme.
En plus des somnifères, l'alcool à doses élevées est également très nocif, car il altère le sommeil et les rêves.
Le rêve a diverses fonctions. Il protège notre sommeil, car il nous transporte dans un état intermédiaire, situé entre le sommeil profond, d'où n'émerge aucun souvenir, et l'état de veille dans lequel nos activités sont parfaitement conscientes.
Durant le stade du rêve, l'homme vit une réalité plus réelle que celle de l'état de veille ; en effet, chaque image du rêve est entièrement créée par notre esprit, et cela sans aucun soutien extérieur.
Dans le rêve, chacun de nous crée la réalité à son image et à sa ressemblance. Cette réalité, détachée des sensations externes, assume donc une valeur plus vraie et personnelle.
Notre sommeil profond est protégé par cette phase intermédiaire et l'intégrité de notre moi l'est aussi. Dans ce cas, le rêve prévient et amortit les changements brusques de la charge émotive qui se crée entre l'homme et le monde externe.
Le rêve devient une chambre de décompression où tout ce qui assume une valeur importante pour notre moi est entreposé pour être ensuite accepté à l'état de veille.

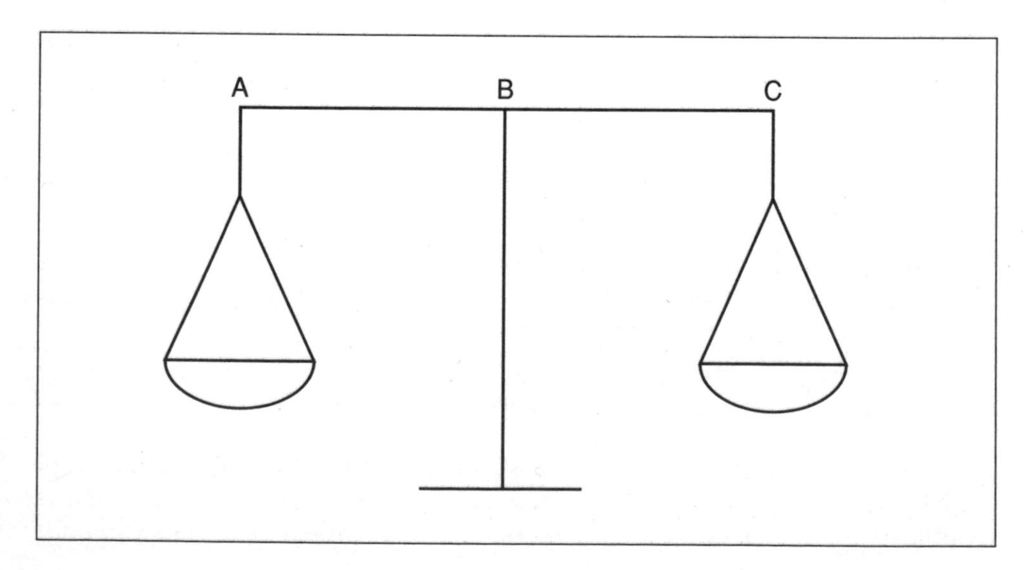

Le métabolisme affectif est réglé de la même manière. L'énergie affective est la base de nos comportements, car l'amour est le chemin qui conduit à la connaissance. C'est le rêve qui la règle en prévenant les chocs et en préparant son assimilation.
Le contenu des rêves est bien sûr lié au type de mentalité du rêveur ; les personnes simples font des rêves simples, car rêver signifie créer la réalité à un niveau différent, plus subtil, mais toujours à notre image et ressemblance.
Toujours, sur le thème de la finalité du rêve et pour mieux comprendre sa signification, analysons le croquis de la page 14 qui représente une balance.
Le plateau A représente l'état de veille, le plateau C l'état de sommeil profond et le point B le stade du rêve.
Le rêve est le nœud, le centre et l'élément médiateur entre les deux parties. Chaque fois qu'une surcharge crée un déséquilibre, le point B, c'est-à-dire le stade du rêve, est en mesure de faire passer de l'énergie de A à C de manière à rééquilibrer automatiquement les deux plateaux.
Ce n'est pas toujours possible, surtout si la surcharge est trop brusque : d'où l'apparition de phobies, d'anxiétés et de problèmes nerveux.
Le rêve a également une autre fonction, beaucoup plus subtile et spirituelle : il peut devenir l'intermédiaire entre l'homme transcendant, qui au moment du sommeil profond vit à un niveau plus complet, le niveau astral, et l'homme animique dont l'activité se déroule au cours du stade illusoire qu'est l'état de veille.
Dans le rêve, l'homme vit dans une phase intermédiaire, où la réalité et l'illusion se compénètrent et où affleure l'antique conscience des images propres à l'homme ancestral, les archétypes décrits par Jung, mêlée à des restes de l'activité vigile.
En Inde, on dit que, lors de la pratique du Yoga Sutra, l'expérience onirique est réelle, car elle est déterminée par un esprit réveillé au milieu des sens endormis.
Discerner la vérité du mensonge, telle est la tâche ardue de l'interprétation des rêves. Chaque homme peut découvrir qui il est et quel est son véritable rôle dans l'univers de labeur, d'énergies, de mensonges, d'illusions et de vérité.
Par conséquent, le plus important est d'éloigner les faux rêves qui ne sont que les interférences psychiques de nos problèmes quotidiens. Toutes les tendances défendues, toutes les souffrances animiques et tous les désirs affleurent du préconscient et les rêves prennent forme en utilisant les expériences de la journée en guise d'échafaudages.
Si, par exemple, nous avons assisté à la projection d'un film la soirée, nous utiliserons probablement cette base pendant la nuit pour construire le rêve ou nous projetterons nos conflits internes.
Mais nous devrions être en mesure d'éliminer ces éléments ; alors le rêve

sera véridique et pourra être utilisé pour communiquer avec des niveaux supérieurs.
Les rêves de voyance et les rêves prémonitoires sont très fréquents et l'histoire nous enseigne que de nombreux voyants et saints recevaient leurs messages par le biais du rêve.
S'il est utilisé de manière appropriée, le rêve nous permet de vivre notre vie d'une façon plus réelle qu'à l'état de veille.
Nous pouvons utiliser le temps dédié aux rêves pour mieux connaître la nature du monde, pour mieux nous connaître et pour entrer en syntonie avec les autres.

Le rêve et la cybernétique

La cybernétique est une science très récente qui étudie la transmission des données.
Les ordinateurs sont les créations les plus représentatives de la cybernétique. L'homme a tout intérêt à reproduire certaines attitudes propres à son cerveau ; en insérant les informations nécessaires dans des circuits (modules) spéciaux, on établit des commandes qui remplissent des fonctions précises.
Grâce aux mémoires électroniques, des milliers de données peuvent être emmagasinées très rapidement et dans très peu d'espace pour être prélevées au moment opportun.
La cybernétique est basée sur le principe théorique du fonctionnement du cerveau humain. En effet, le cerveau reçoit des impulsions électriques qui pénètrent dans les cellules (environ 30 milliards de neurones) à travers des fibres (neurites et dendrites) qui, dans certains cas, peuvent atteindre une longueur supérieure à un mètre et demi.
Le cerveau ressemble à une centrale bioélectrique, munie de fils conducteurs, les mémoires ; grâce à la différence de potentiel électrique qui varie lorsque la cellule est en action, le cerveau lance des signaux qui arrivent dans chaque partie du corps qui reçoit les informations.
Selon la cybernétique, le cerveau a trois fonctions principales : il reçoit des messages de chaque partie du corps grâce aux organes sensoriels ; il évalue, contrôle et compare chaque information ; il envoie une réponse

vers la périphérie, c'est-à-dire vers la source d'où est partie l'information. Selon la cybernétique, le sommeil permettrait aux muscles de se reposer et au cerveau de remettre en ordre les sensations, les souvenirs et les expériences. Le cerveau agirait donc comme un ordinateur : durant l'état de veille, il agit en fonction des informations qu'il possède déjà et emmagasine de nouvelles informations ; durant le sommeil il enregistre et organise les nouvelles données reçues. Pendant le sommeil profond sans rêves, le cerveau est pour ainsi dire « hors service ».

Ces considérations nous permettent de comprendre pourquoi, durant ses premières années, l'enfant a besoin de nombreuses heures de sommeil et de rêve. Ce besoin est lié au fait qu'il doit emmagasiner une quantité toujours plus grande de nouvelles informations. Selon des études récentes, la régulation du sommeil dépendrait d'une substance chimique que produit l'organisme lorsque nous sommes réveillés depuis longtemps. Lorsque le cerveau sent la nécessité de remettre les informations en ordre, il transmet un signal qui provoque la mise en circulation de la substance préposée à créer l'état de repos.

En 1949, le professeur Hess, prix Nobel, démontra cette théorie en croisant la circulation sanguine de deux lapins, l'un endormi et l'autre éveillé ; il réussit ainsi à endormir le lapin éveillé, et à extraire du sang la substance qui provoque le sommeil.

Chez l'homme, la privation du sommeil crée des troubles très graves qui peuvent détériorer le fonctionnement de la mémoire et bloquer les perceptions sensorielles. Après quelque nuits d'insomnie, l'homme est réduit à l'état de larve ; il devient tendu, irritable et se fatigue en effectuant un travail qui requiert peu d'énergie.

Les états d'insomnie graves provoquent même des manifestations psychotiques et de sérieux troubles psychiques qui peuvent conduire le sujet à folie complète.

Par conséquent, le temps occupé par le sommeil n'est pas du tout gâché ; au contraire, il est indispensable car il permet à notre cerveau de classer les informations reçues à l'état de veille.

Les rêves ont aussi une autre fonction.

Selon la cybernétique, ce sont des informations qui ne proviennent pas du monde sensoriel externe mais de l'intérieur de notre moi pour effectuer une sélection et opérer un défoulement, afin que notre système nerveux ne soit pas surchargé. En effet, toutes les informations accidentelles ou celles qui vont à l'encontre de notre mode de pensée sont emmagasinées durant l'état de veille sans être élaborées. Lorsque nous dormons et entrons dans la phase du rêve, ces informations sont prises en considération et extériorisées sous forme d'hallucinations, créant ainsi un processus de filtrage grâce auquel l'information réelle est transformée, camouflée, mimétisée,

de manière à ne pas heurter les informations déjà présentes qui font partie de notre vie psychique.
Il faut avouer cependant que la cybernétique appliquée à la neurologie est une froide théorie.
L'ordinateur n'a pas de conscience ; il ne « se rend pas compte » et ne possède pas l'expérience subjective. Ces fonctions sont des prérogatives de l'homme. On ne peut considérer le cerveau humain comme un ensemble de micro-circuits ; ce serait une erreur de le réduire à cela. L'homme n'est pas seulement un ensemble de cellules plus ou moins spécialisées et les théories matérialistes n'expliquent pas ce qu'est le principe vital, ce « quid » énergétique dont chaque être est muni.

Le rêve chez les Anciens

Un des plus anciens témoignages oniromanciens remonte à trois mille ans avant J.-C. A cette époque, dans le bassin mésopotamien, on assistait aux faits et gestes d'un grand héros appelé Gilgamesh.

« J'ai rêvé qu'une montagne m'ensevelissait » dit Gilgamesh « mais voici qu'apparaît un homme d'une beauté exceptionnelle qui me libère des rochers et me relève. »

Enkidu interprète le rêve et dit au héros : « La montagne est l'Humbaba monstrueux (le mal) qui tombera sur nous mais nous réussirons à nous sauver et nous l'abattrons. »

Depuis des temps immémoriaux, ainsi que le raconte la légende de Gilgamesh, l'homme exploite le monde onirique pour en tirer des conseils utiles et des prévisions. Dans l'Antiquité, les oniromanciens étaient aussi appréciés que les autres magiciens et le fait de réussir à interpréter les rêves leur conférait puissance et honneurs.

On pensait alors que les rêves étaient un pont entre les mondes naturel et surnaturel et qu'ils contenaient les révélations des dieux ou des démons. Aristote disait que le rêve n'est pas un signe de la divinité, mais que son origine est démoniaque, car la nature elle-même est l'œuvre du démon, tandis que l'essence est l'œuvre de Dieu.

Pour les philosophes de l'Antiquité, le monde matériel et la vie à l'état de veille ne sont que pure illusion, tandis que, dans le sommeil, la réalité devient objective. Dans le rêve, l'action est intermédiaire et assume une valeur différente pour chaque homme.

L'homme sage pouvait avoir accès aux connaissances oniriques ; par conséquent, ses rêves étaient réels ; l'homme abstrus ne recevait que des messages erronés et son monde onirique était le reflet des hallucinations vécues à l'état de veille. Homère partageait ce point de vue : il disait que les rêves véridiques entrent par une porte d'ivoire, tandis que les faux rêves entrent par une porte de corne.
Selon Homère, l'homme choisit lui-même la porte à utiliser, selon le stade de son évolution spirituelle.
Dans les poèmes homériques, les rêves sont considérés comme une réalité objective réelle. Le rêveur assume un rôle passif et devient un instrument de la divinité. C'est justement parce que l'homme n'était qu'un lien entre Dieu et les autres hommes, qu'il devait être sage et pur. Homère lui-même communiquait normalement avec le monde surnaturel par le biais des rêves et certains ont interprété sa cécité dans un sens allégorique. Il était aveugle vis-à-vis du monde externe, du monde illusoire car, en tant qu'initié, il percevait le monde transcendantal. Sa cécité était considérée comme la vue véritable.
Les rêves prémonitoires qu'on trouve dans l'Iliade et l'Odyssée étaient considérés comme des messages divins provenant du ciel et non comme des connaissances émanées de l'inconscient du poète.
Homère ne décrit pas ses héros selon sa fantaisie ; à travers ses poèmes, il veut transmettre une connaissance réelle, liée à la tradition populaire et aux souvenirs de l'homme.
Le culte des héros, durant la période homérique présente une nette ressemblance avec le monde des saints de l'église catholique ; les héros homériques étaient transportés après leur mort dans les îles des âmes bienheureuses d'où ils pouvaient aider les hommes bons, en particulier grâce à l'action onirique.
Ainsi, les héros assumaient une valeur intermédiaire entre l'homme et la divinité et on pouvait s'adresser à eux pour les besoins les plus matériels.
La différence essentielle entre la conception du rêve chez les Anciens et la conception psychanalytique réside dans le fait que les premiers considéraient le rêve comme une action extérieure à homme, qui le recevait des dieux ou des démons, tandis qu'aujourd'hui, le rêve est considéré comme une action interne du sujet lui-même, essentiellement accomplie par le subconscient.
Dans les textes sacrés, les rêves apparaissent souvent pour informer le prophète de la volonté de Dieu.
Dans l'Ancien Testament, les premiers rêves de Joseph annonçaient symboliquement sa supériorité par rapport à ses mauvais frères. Joseph était un bon oniromancien, sa réputation parvint aux oreilles du pharaon qui l'engagea à la cour avec la tâche délicate d'interpréter ses rêves.
Deux rêves du pharaon sont célèbres. Dans le premier, le pharaon se trou-

vait sur les rives du Nil d'où surgirent 7 vaches maigres qui dévorèrent 7 vaches grasses en train de brouter l'herbe, sur les rives du fleuve. Dans le second rêve le pharaon vit sept beaux épis qui avaient poussé à partir d'une seule tige ; puis 7 autres épis brûlés par le soleil germaient difficilement et dévoraient les épis mûrs. Joseph interpréta ces rêves au pharaon : les 7 vaches grasses et les sept épis mûrs représentaient sept années d'abondance, tandis que les 7 vaches maigres et les 7 épis vides annonçaient 7 années de famine. Le pharaon ordonna que l'on fit des réserves de blé en prévision de la famine qui survint, sauvant ainsi son peuple de la famine.

Nous connaissons aussi un rêve de Nabuchodonosor. Au VIe siècle av. J.-C. ce roi de Babylone vit l'image d'un arbre couvert de fruits qui se dressait jusqu'au ciel et se répandait sur toute la terre. Un être divin descendit du ciel, il commanda que l'arbre soit abattu et qu'on éparpille ses fruits et ses branches coupées ; par contre la souche fut liée avec du fer et du laiton. L'être divin remplaça également le cœur du roi par un cœur de bête féroce.

Le rêve de Nabuchodonosor annonçait la fin de son règne et sa folie. Les rêves sont également présents dans les évangiles, en tant qu'instruments utilisés par la divinité. Joseph, reçoit en rêve le message de l'ange qui le rassure au sujet de la maternité de son épouse : celui qu'elle porte est l'œuvre de l'Esprit Saint. De même lors du Massacre des Innocents le salut de Jésus est dû au message onirique adressé au même Joseph qui suit le conseil de fuir en Egypte.

Les Rois Mages eux aussi, reçurent en rêve la consigne d'éviter Hérode et de ne pas lui révéler le lieu de naissance de l'enfant Jésus. La communication onirique est présente dans tous les textes sacrés : Bouddha reçut d'importants messages à travers les rêves et la première partie du Coran fut dictée en rêve au prophète Mahomet par l'archange Gabriel.

Mahomet attribuait beaucoup d'importance aux rêves ; chaque matin il en faisait une analyse, avec l'aide de ses disciples.

Dans la Grèce antique on avait érigé des temples exclusivement dédiés à la divination onirique ; le temple d'Esculape était le plus connu. Esculape ou Asclépios, considéré comme étant le fils d'Apollon, tenait un rôle important dans le culte solaire et fut instruit par le centaure Chiron. Sa représentation symbolique, transmise au fil des siècles, est le serpent.

On utilisait dans ce temple la technique de l'incubation. Après avoir suivi un système compliqué de préparation au rêve, le sujet dormait dans le temple. Au cours de la nuit, il recevait, sous une forme onirique, les réponses à ses demandes.

Durant l'incubation, les rêveurs étaient soumis à un régime strict qui éliminait la viande et le vin, et ils devaient s'abstenir de toute activité sexuelle. Le corps devant être parfaitement propre, il fallait se laver à

l'eau froide. On exécutait ensuite des rites spéciaux (actes propitiatoires envers les divinités).
Le rêveur était oint de substances spéciales et l'on procédait dans les lieux à des fumigations d'herbes magiques. Les femmes enceintes et les personnes malades ne pouvaient pas pénétrer dans le temple pour préserver celui-ci des influences néfastes.
On érigeait des statues aux dieux du sommeil et des rêves, et, pour finir on se couchait dans une grotte qui servait de dortoir et où nichaient de gros serpents jaunes.
Au réveil, de nombreux sujets avaient reçu en rêve la visite des divinités et trouvé réponse à leurs demandes, qui concernaient généralement la santé et les soins à effectuer. Parfois certains rêveurs étaient guéris directement par le dieu durant le rêve.
Comme le temple d'Esculape, celui d'Epidaure connut également une grande renommée ; les personnes qui y étaient invitées offraient aux divinités des tablettes votives, une tradition qui existe encore aujourd'hui dans l'église catholique.
Avec la technique de l'incubation le rêveur comprenait le motif de sa maladie, considérée comme un châtiment des dieux, dû aux fautes du rêveur. C'est l'ancienne formule de l'action et de la réaction qui, en Orient, a pris le nom de Karma.
La divinité acceptait le rituel de l'incubation comme un acte de repentir et suggérait en échange les soins appropriés.
En Egypte également, on érigeait des temples dédiés à l'art des rêves ; on y exécutait des rituels semblables à ceux de l'incubation. En Egypte, le dieu gardien du sommeil était Bes ; il avait pour tâche de chasser des rêves les esprits malins.
On s'adressait à cette divinité pour obtenir à travers le rêve une réponse à certains problèmes.
En Egypte, seuls certains prêtres avaient la charge d'interpréter les rêves qui étaient considérés comme une révélation que les dieux donnaient aux hommes.
L'interprétation moderne des rêves a ses racines dans la classification arabe. Les Arabes divisèrent les rêves en deux classes : les rêves mentaux qui avaient un contenu prophétique et les rêves de milieu qui étaient dus à des stimuli externes ou à des malaises internes. Pour les Arabes, la science des rêves a donc une valeur d'ordre psychanalytique. Avec eux commencent les premières classifications basées sur l'expérience millénaire et sur l'intuition.
Cependant l'interprétation des Arabes est encore strictement liée au mystère divin, puisque Allah et ses anges agissent directement en donnant de bons rêves aux prophètes et aux hommes droits, et des rêves confus aux infidèles.

Chez les Arabes, comme chez les Grecs, la personne en attente d'un rêve véridique devait se soumettre à des rituels particuliers. Elle devait s'abstenir de manger certains aliments et se coucher sur le flanc droit, la partie positive du corps.
Grâce à ce rituel, lui arrivaient des rêves dus à une action céleste et l'oniromancien devait pratiquer son art entre midi et le coucher du soleil.
Dans l'Inde antique, le rêve était également tenu en grande estime et considéré comme un état intermédiaire entre l'illusion de l'état de veille et la réalité de l'état de sommeil sans rêves. Dans son rêve, l'homme s'achemine vers l'identification cosmique et effectue le premier pas vers la totalité.
L'évolution proprement analytique s'effectue grâce à Artémidore qui vécut à Rome au deuxième siècle après J.-C Artémidore étudia les rêves durant toute sa vie et les divisa en cinq catégories :

– *les rêves symboliques* : du genre de celui des sept vaches maigres et des sept épis du pharaon ;

– *les rêves oracles* : dus à des révélations divines et que nous appelons aujourd'hui paranormaux ;

– *les rêves dus à l'imagination* : ils émanent de désirs non réalisés ou irréalisables (théorie principale de Freud) ;

– *les cauchemars* : dus à des fractures profondes de l'inconscient ;

– *les rêves-visions* : que nous faisons les yeux ouverts.

C'est la première interprétation qui se réfère aux rêves d'imagination ; il s'agit donc de la première approche psychanalytique. Les rêves se classent en outre en *insomnium* et *somnium*. Dans les premiers, on trouve des altérations psychologiques dues aux problèmes personnels. Les seconds ont une signification plus profonde ; on y trouve des symbolismes qui transcendent la personnalité et sont reliés à des niveaux supérieurs ; Jung leur donnera la définition « d'archétypes de l'inconscient collectif ».
Artémidor était favorable au système d'interprétation de « la signification contraire ». Selon ce système, chaque rêve devait être interprété selon son contraire. Par exemple, si on rêve la mort d'une personne de la famille, cela signifie qu'elle vivra longtemps.
Dans cette brève revue du rêve chez les Anciens, nous avons pu constater que, depuis l'Antiquité, l'homme a toujours attribué beaucoup d'importance à cette partie de vie vécue durant les rêves.

Il a toujours perçu cette double existence qui, parfois, se confondait avec la vie à l'état de veille.
Le monde des rêves était, et est encore, pour l'homme un monde parallèle, fait de choses belles et laides, de bonheur et d'horreur, de paix et d'angoisse. Lorsque l'homme s'aventure dans un rêve joyeux il se réveille avec le regret de retrouver la réalité, mais, lorsqu'il vit des cauchemars, il remercie le ciel d'avoir quitté le monde des rêves.
A mon avis, le monde des rêves n'est pas fait d'hallucinations ; au contraire, c'est un monde plus vrai et réel que le monde que nous percevons à l'état de veille durant lequel, comme il a été prouvé, nous percevons les hallucinations de la réalité subjective. Une chose est certaine : tout ce qui est présent dans la création a son utilité. Chacun de nous doit découvrir l'utilité de ses rêves.

Que faut-il faire pour bien rêver

Nous rêvons toutes les nuits, mais certains rêves sont faux et d'autres veridiques. Afin que nos rêves soient véridiques toutes les influences qui altèrent ou peuvent altérer nos visions oniriques doivent être éliminées.
Des altérations organiques, physiologiques, psychiques agissent sur notre subconscient en prenant la forme d'images fausses qui représentent uniquement notre équilibre intérieur ou physiologique. Si, par exemple nous dormons dans une pièce trop chaude, il est fort probable que, dans le rêve, nous avons l'impression de suffoquer ou que nous voyons notre maison en flammes. Ce rêve devient un cauchemar, nous repoussons notre couverture ou notre drap, alors que nous sommes à moitié endormis.
Toute cette dynamique onirique sert de prétexte, car, en ôtant la couverture, nous avons pu continuer à dormir tranquillement.
Ce rêve ne doit donc pas être pris en considération car il est lié à des informations qui nous arrivent du monde extérieur. Ce genre de rêve est dit *extéroceptif*. Parfois des facteurs intérieurs peuvent intervenir également dans nos rêves ; dans ce cas, ils émergent de notre inconscient sous forme de peurs, craintes et insécurités.
De façon plus simple, l'altération peut être causée par un besoin physiologique. L'exemple typique à ce sujet est l'envie d'uriner.
Si ce besoin survient pendant que nous dormons, nous rêvons par exemple que nous sommes mouillés ; le sommeil devient plus léger et nous nous réveillons pour soulager vraiment notre besoin physiologique.

Dans ce cas, les rêves sont appelés *intéroceptifs*, c'est-à-dire agents provenant de l'extérieur.
Nous avons ainsi vérifié que les stimulations intérieures du corps, telles les douleurs, les mictions, la mauvaise digestion, les difficultés à respirer, de même que les sources de stimulations psychiques comme les pensées et les peurs peuvent modifier nos rêves. Nos rêves sont donc faux et sont uniquement des projections significatives.
Si nous désirons faire des rêves qui soient tout à fait véridiques et indépendants de notre conditionnement, ou du moins les plus indépendants possible, nous devons tenir compte de quelques sages conseils.
Une bonne santé est indispensable, il faut manger très peu le soir, si possible pas de viande, ni de matières grasses ou d'alcool. Il semble que manger mal et en grande quantité fasse rêver davantage ; en fait, nous nous souvenons seulement mieux de nos rêves parce que nous nous réveillons à cause d'une mauvaise digestion.
Il est bon d'aller au lit tôt. Dormir avec la tête au nord et les pieds au sud facilite le sommeil et les rêves, car on se trouve ainsi dans la ligne du champ magnétique terrestre. Prendre un bain de pieds froid ou laisser couler l'eau sur les avant-bras en ne se séchant pas relaxe et prédispose au sommeil. De cette façon le courant statique, qui s'accumule lorsque nous portons des vêtements en matière synthétique et des chaussures aux semelles de crêpe ou en caoutchouc, est éliminé.
Dès que nous nous couchons, un exercice de décontraction rend le sommeil aisé et nous prépare à faire des rêves véridiques. Pour exécuter un exercice de relaxation il est nécessaire, de s'allonger sur le dos, les bras tendus le long du corps, coudes légèrement repliés. Les jambes seront peu écartées avec les pointes de pieds retournées en dedans. Yeux clos, on inspire profondément par le nez pour oxygéner le sang le plus possible, de façon que l'air, qui passe par les fosses nasales riches en capillaires, pénètre déjà chaud dans les poumons. On retient sa respiration pendant 2 ou 3 secondes, et on expire enfin lentement par la bouche. On refait cet exercice pendant environ 5 minutes. Au cours de cet exercice, visualiser mentalement la couleur bleu peut aider à mieux se relaxer.
Imaginons un beau ciel bleu et laissons-nous envelopper par cette couleur en la « respirant » et la laissant nous pénétrer. Le bleu suscite le calme, la tranquillité, la paix et favorise le sommeil.
Une autre technique très utile pour favoriser le sommeil et s'endormir très tranquillement consiste à exécuter une visualisation pendant la relaxation : on imagine voir un panneau ou un tableau entièrement noir avec en son centre un cercle de couleur blanc argent. Ensuite on place dans ce cercle le numéro 100, lui aussi de couleur blanc argent. Puis, toujours en imagination, on efface ce numéro pour le remplacer par le numéro 99, et ainsi de suite.

Dans l'intervalle entre les numéros, on répète chaque fois le mot « dormir ». Si on le désire, on intercale aussi les mots « calme, tranquillité, plaisir ». Ces mots, dont le but est d'influencer, seront répétés au moins trois fois. Compter en même temps que l'on respire serait aussi très utile. Les rêves des premières heures de sommeil ont peu de valeur onirique car des fonctions organiques, spécialement les fonctions de la digestion, sont encore en cours.

De même, les influences psychiques créent des altérations dans les rêves, particulièrement si, avant d'aller au lit, des arguments à valeur émotive ont été abordés ou si l'on a vu des spectacles à caractère dramatique.

Les rêves les plus véridiques sont ceux qui se produisent dans d'excellentes conditions psychiques et physiques.

Ils prennent forme surtout dans les premières heures du matin. On se souvient facilement de ces rêves qui, très souvent, ne semblent pas faire partie de notre monde car ils sont bizarres ; mais on comprend immédiatement qu'ils nous apportent d'importants messages.

Dans ce cas, c'est notre « moi » sage, la partie la plus évoluée de notre être qui nous conseille. Il réussit à émerger car nous lui en avons donné la possibilité.

C'est la raison pour laquelle, il est très important de vivre de façon saine. Nous ferons, en effet, des rêves d'intuition sages et véridiques si nous dormons et vivons bien.

Grâce à de telles expériences oniriques, nous serons toujours en harmonie avec la vérité intérieure qui nous guidera dans les labyrinthes obscurs de notre existence. Nous aurons découvert le fil d'Ariane qui nous permettra de trouver le chemin du retour dans le labyrinthe chaotique de notre vie.

Comment se souvenir des rêves

En moyenne, une personne rêve environ 90 minutes, par nuit, divisées plus ou moins en cinq rêves.
Cependant, malgré cette fréquence, un très grand nombre de personnes affirment ne se souvenir d'aucun rêve. Ceci peut en effet se vérifier, mais quel dommage! C'est comme si l'on ignorait une partie de notre vie.
Le rêve est la vie intermédiaire entre la conscience aux prises avec la matière, c'est-à-dire l'état de veille, et l'inconscience de notre être plongé dans un profond sommeil. Plus nous sommes en état de veille, moins nous nous trouvons dans la réalité : ceci peut paraître étrange.
Il est vrai qu'il n'est pas toujours possible de se souvenir d'un rêve, à cause du temps qui s'écoule entre le rêve et le moment du réveil. Généralement, si nous nous réveillons 20 minutes après le rêve, nous n'en avons plus aucun souvenir ; 15 minutes après, nous nous souvenons de quelques bribes ; 5 minutes après, nous nous en souvenons très bien car le dernier rêve est effectué peu avant le réveil. Si nous nous réveillons pendant le rêve, nous n'avons alors aucune difficulté.
Les personnes qui affirment avoir oublié leurs rêves sont celles qui se réveillent longtemps après la phase REM. Disons tout de suite que la technique utile pour se souvenir des rêves consiste à stimuler le réveil le plus vite possible après la phase REM pour éviter qu'un sommeil ultérieur profond ne se produise qui en effacerait le souvenir.
En outre, certaines personnes dotées de caractéristiques réussissent à se

souvenir de leurs rêves. Les personnes qui, par exemple, ont beaucoup d'imagination se rappellent davantage de leurs rêves. La femme, plus logique que l'homme, est favorisée par rapport à celui-ci. Les artistes sont d'excellents rêveurs et puisent très souvent dans leurs rêves la matière de leurs merveilleuses œuvres.

« Le trille du diable » du compositeur Tartini en est un exemple typique. L'écrivain Robert Louis Stevenson a rêvé sa fameuse histoire du « Docteur Jekyll et Mister Hyde ».

Le chimiste allemand Kekulé découvrit la formule hexagonale du benzène pendant un rêve, après une exténuante journée de travail de recherche. Il vit en rêve un serpent se mordant la queue et, grâce à ce symbole archétypique, il comprit d'intuition la formule du benzène.

De même, le physicien danois Niels Bohr formula d'importantes théories sur l'énergie atomique et sur la structure de l'atome grâce à ses rêves.

Ce phénomène est dû au fait que notre subconscient est plus attentif et perspicace que notre conscient. Souvent, il suffit de s'intéresser aux rêves pour pouvoir se les rappeler. Dans ce cas, la curiosité fait office de suggestion : si nous pensons nous lever à une heure déterminée, nous nous réveillons exactement à l'heure fixée. Ayant enregistré la suggestion notre inconscient agit telle une minuterie.

Il arrive quelquefois que le rêve annonce un important message. Ce sont des rêves qui se répètent et dont le symbole change.

Si nous nous souvenons seulement de quelques passages d'un rêve qui nous semble important, soyons plus attentifs aux prochains afin d'en comprendre le contenu.

Des techniques spéciales permettent de se souvenir des rêves.

Dès que nous allons au lit l'exécution d'une dynamique mentale peut nous aider. Cet exercice sera effectué au lit avant de s'endormir : respirer profondément en cherchant à décontracter tous les muscles du corps ; puis visualiser un panneau ou un tableau noir en plaçant dans le cercle un point blanc qui s'agrandit petit à petit jusqu'à occuper tout le panneau qui deviendra complètement blanc. On exécute cette dynamique trois fois. Le point qui croît représente le rêve qui émerge de la partie consciente, tandis que le panneau noir est la partie de l'inconscient qui se transforme en souvenir conscient.

A la fin d'une telle dynamique mentale, on ajoute une phrase que l'on répète trois fois : « Demain matin, lorsque tu te réveilleras, tu pourras te souvenir parfaitement d'un des rêves que tu as fait cette nuit. »

Pour les phrases adoptées comme suggestions, mieux vaut utiliser la deuxième personne, comme si c'était une autre personne qui s'adressait à nous. De cette manière, la suggestion sera facilement acceptée au niveau inconscient et le conseil exécuté.

Pour bien se souvenir des rêves, il existe un système très facile qui donne

d'excellents résultats. Ce système consiste à prendre note des rêves dès le réveil, sans repousser d'une minute la transcription, sinon le rêve risquerait de s'évanouir.
Rédiger ses rêves le matin est la méthode la plus simple et efficace pour s'en souvenir. Il faut avoir à portée de la main un crayon et des feuilles de papier ou un bloc que l'on aura préparés la veille.
Si l'on dort seul, on peut utiliser un enregistreur qui permet d'enregistrer le rêve au réveil. Cet appareil présente l'avantage, lorsque nous l'écoutons, de nous faire remarquer combien notre voix est chargée en sensations propres au rêve. Si le rêve était relaxant, notre ton apparaît calme et tranquille ; si, au contraire, le rêve nous a troublés, nous noterons le bouleversement dans notre voix.
Avec cette technique, tout devient plus aisé, pourvu que nous nous empressions de rédiger notre rêve. Nous devons utiliser notre force de volonté et ne pas repousser la rédaction d'une seconde. La bonne réussite dépend de la rapidité qui permet de nous rappeler avec clarté les sentiments éprouvés pendant le rêve. Si, au réveil, nous n'avons aucun souvenir du rêve, nous noterons nos premières pensées et sensations : calme, tranquillité, sérénité ou peur, agitation, trouble.
Nous daterons tout ce que nous écrirons et, si nous nous réveillons pendant la nuit, nous prendrons note aussi de l'heure ; ces informations seront ensuite inscrites sur un journal onirique qui nous permettra de comprendre le message du rêve. On se souvient habituellement du rêve du matin, mais si nous désirons nous rappeler aussi les rêves faits la nuit, nous pouvons, une fois par mois, interrompre volontairement le sommeil toutes les deux heures en utilisant un réveil.
Avec cette méthode, il est probable que nous pourrons nous réveiller pendant un rêve ou à la fin de celui-ci, mais il ne faut utiliser ce système qu'une fois par mois, car il est stressant.
Grâce à ces méthodes très valables, la personne qui, habituellement, oublie ses rêves, réussira certainement à vivre l'autre partie de son existence, si riche en charme et en mystère.

Comment programmer et diriger les rêves

Comme nous l'avons déjà vu, le rêve est la création de notre psyché et de notre inconscient qui, toutes les nuits, émergent pour essayer de résoudre nos problèmes refoulés. Bien qu'ils soient des actes involontaires, il est possible de programmer les rêves en utilisant des suggestions appropriées, verbales ou autres.

Au cours de la phase REM, des stimulations sensorielles provenant de l'extérieur arrivent à la personne endormie. Ces stimulations doivent trouver une représentation onirique, parfois sous forme d'un simple « flash ». A cette seule condition le sujet peut continuer à rêver tranquillement ; autrement il devrait se réveiller.

Pour mieux comprendre le fonctionnement des stimulations sensorielles, je vous propose une simple expérience qui nécessite des disques reproduisant des effets sonores. Ces disques, que l'on trouve dans le commerce, sont utilisés habituellement par les amateurs du cinéma.

Si, par exemple, nous faisons entendre au sujet endormi, en cours de phase REM le bruit du sifflet d'un train, à son réveil il racontera avoir rêvé d'un train ou évoquera une scène en rapport avec les trains.

D'autres expériences aux résultats satisfaisants peuvent être menées : on peut agir sur les sens du sujet endormi en lui effleurant le front de la main, en lui soufflant légèrement sur le visage, en répandant du parfum, en créant des bruits. Dans ce cas, le sujet représentera ces sollicitations externes en leur donnant une apparence onirique.

Si nous voulons faire des expériences de ce genre sur nous-mêmes, nous devons programmer des suggestions dans notre esprit.
Il suffit parfois, tout simplement, de penser que l'on désire rêver d'un certain milieu ou d'une personne déterminée pour que le rêve ait lieu automatiquement.
Parfois il est nécessaire de créer des suggestions avant de s'endormir.
Il est recommandé de commencer par un exercice de relaxation et ensuite de penser à ce que nous voulons rêver. La chose primordiale est de créer une véritable image mentale la plus proche possible à la réalité.
Si nous désirons rêver d'une personne qui nous est chère, nous devons imaginer son visage, ses traits particuliers, sa voix, sa façon de parler, son caractère, tout ce qui peut rendre présente cette personne. Après cette phase, nous nous laissons aller, en pensant toujours à notre objectif jusqu'à ce que nous nous endormions. Pour faciliter la programmation, on peut utiliser une photographie qui représente le but de notre rêve. La photographie sera placée sur la table de nuit ou sous l'oreiller. Dans ce cas, notre inconscient sera fortement conditionné par la présence de cette photographie ; la programmation sera plus facile et la réalisation donnera de meilleurs résultats.
La représentation graphique d'une image ou d'un symbole ressemble au système de la photographie. Si nous mettons un symbole sur la table de nuit ou sous l'oreiller, ce symbole réveillera notre inconscient, arrivera jusqu'au subconscient et se transformera en une représentation onirique.
Le symbolisme archétypique possède une grande influence onirique ; en effet, si nous utilisons un de ces symboles, par exemple une étoile, un triangle, une croix gammée, etc., une suggestion se crée automatiquement.
Les cartes à jouer représentent elles aussi d'importants symboles. L'as de trèfle s'associe à la croix du christianisme. L'as de pique représente l'épée, la lance ou une arme « qui blesse », et il s'associe à la peur et au danger. Les cœurs représentent l'amour et le contenu de l'âme. Les carreaux symbolisent l'argent et les affaires, donc la partie matérielle.
Les tarots, riches en symbolisme archétypique, portent des messages particuliers. Ils se réfèrent surtout aux différentes classes sociales : les épées représentent la noblesse, les coupes le clergé, les bâtons les paysans, les deniers les commerçants.
Jung, lui aussi, avait relié le symbolisme des cartes à jouer à la représentation onirique. Si nous plaçons sous notre oreiller une carte de carreaux ou de deniers, le symbolisme de la carte influencera notre inconscient et nous ferons des rêves liés aux affaires et à l'argent.
Une autre technique pour programmer les rêves est appelée technique de l'incubation. Elle consiste à penser pendant toute la journée au rêve que l'on désire faire. Ainsi, lorsque le sujet ira se coucher, son désir de rêver sera devenu très fort. Il suffira pour compléter la technique d'exécuter un

exercice de relaxation. Avec cette technique, le désir de rêver d'un sujet donné a de grandes chances de se réaliser.
Une autre technique consiste à émettre des suggestions pendant le sommeil. Mais ce système requiert la participation d'une autre personne. Le collaborateur envoie au sujet endormi des suggestions verbales sur le type de rêve qu'il devra faire. Le dormeur répond parfois aux questions qui lui sont posées. Si le sujet ne présente aucune réaction oculaire démontrant qu'il est en train de rêver, ceci signifie qu'il dort trop profondément et qu'il n'a pas assimilé le message.
Il suffit alors de lui effleurer le front avec la main ou de souffler légèrement de l'air sur son visage. De cette façon on amène le rêveur à un niveau de sommeil moins profond, c'est-à-dire dans la phase des rêves appelée REM.
Le meilleur moment pour diriger les rêves est le moment de la présomnolence qui précède toujours le premier stade du sommeil et se présente tous les soirs avant de s'endormir. Il y a d'autres moments de somnolence qui donnent de meilleurs résultats ; je fais référence aux jours de congé où nous hésitons à nous lever et où nous intercalons des périodes de rêve et des périodes de somnolence, tout en étant parfaitement lucides. Il est aisé de programmer et diriger les rêves pendant ces périodes. De plus, au cours de ces phases, nous pouvons faire des rêves lucides (dont je parlerai dans un autre chapitre) qui éblouissent le rêveur par leur singularité.

Analyses et journal onirique

Selon la psychanalyse, l'homme est divisé en deux parties : le conscient et l'inconscient. Le conscient est la partie de nous-mêmes que nous connaissons le mieux ; c'est celle qui est présente à l'état de veille, tandis que l'inconscient est la partie plus obscure et profonde de notre être.
Les rêves se déroulent dans la partie superficielle de l'inconscient, appelée subconscient. Cette partie contient toutes les informations qui, bien qu'elles ne fassent pas partie du conscient, peuvent tout de même se manifester par un acte de volonté.
Le subconscient est un excellent censeur qui empêche le contenu inconscient de venir à la surface dans sa totalité car, si cela se produisait, nous en ressentirions de graves perturbations psychiques.
C'est pour cette raison que le rêve est volontairement revêtu de symboles et déguisé. Ainsi notre subconscient se décharge sans provoquer de dégâts à la partie consciente.
L'analyse d'un rêve a pour but de nous en faire comprendre le message et la signification, et le meilleur analyste est très certainement le rêveur lui-même. Les significations psycho-analytiques, y compris celles citées dans ce texte, ont une valeur purement indicative qui se base sur l'ensemble des comportements psychiques.
L'interprétation est absolument subjective. Par exemple, pour telle personne, le rêve d'un bateau peut représenter un désir d'amitié ou d'amour ; pour telle autre, il peut signifier un voyage agréable fait dans le passé et

pour un marin, il représente la nostalgie de son travail, etc. L'analyse est très complexe et difficile à réaliser, à moins que l'on ne connaisse la personnalité et la psychologie du sujet.
Inconsciemment, au contraire, chacun de nous se connaît, et si nous réussissons à regarder « au-dedans » de nous, nous parvenons alors, grâce à cette fameuse recherche, à comprendre le véritable message du rêve.
Le rêve nous révèle toujours quelque chose qui nous appartient. Nous apparaissons dans le rêve en assumant des rôles différents dans chacune de ses parties et chacun de ses thèmes. Il est donc très important de bien mettre au point les moindres détails, en donnant de l'importance aux couleurs, à notre état d'âme et au milieu. Quelquefois, les messages que nous devons recevoir sont « camouflés » dans des détails, tels la fêlure d'une glace ou un grain de beauté sur une joue.
Prenons donc note de tout ce qui se produit dans notre rêve. En premier lieu, il est très important de donner au rêve un titre qui en reflète le thème. Si, par exemple, le rêve s'est déroulé à la montagne pendant que l'on escaladait un versant, le titre pourrait être « la grande escalade ». Puis nous indiquerons les « personnages » en énumérant toutes les personnes, et les rôles que celles-ci ont joués.
Puis nous écrirons « l'intrigue » en racontant son contenu total, mais en nous concentrant sur les points saillants. Dessous, nous indiquerons la « liste des éléments » et, sous cette rubrique, nous inscrirons tous les éléments dont nous nous souvenons, y compris les plus insignifiants ; nous noterons à côté la première signification qui nous vient à l'esprit.
Si après quelques jours, nous examinons à nouveau cette liste et que nous nous souvenons d'autres détails, nous les ajouterons ou apporterons toutes les modifications qui paraissent nécessaires. En effet, il peut arriver que, par suite d'événements ou de rêves ultérieurs, la signification symbolique nous apparaisse tardivement.
En dernier lieu, nous écrirons « message onirique ». Sous cette rubrique, nous transcrirons notre impression, en laissant un espace blanc dans lequel nous ajouterons les autres sensations qui nous viendront par la suite. Le message onirique se déduit en analysant l'intrigue, c'est-à-dire la simplification du rêve.

Récapitulons :

1. Date et heure du réveil.
2. Thème onirique.
3. Personnages.
4. Intrigue.
5. Eléments.
6. Association.
7. Message onirique.
8. Interprétation.

Nous trouverons dans le chapitre intitulé « Exemples d'interprétations » les interprétations et leur déroulement.

Si un rêve nous semble impossible à interpréter, nous ne nous en soucierons pas. Nous écrirons tout, sauf le message onirique car, très certainement, des informations ultérieures nous parviendront pendant la journée ou les jours suivants.
Tenons compte aussi du fait que, parfois, le même message onirique nous est à nouveau proposé avec des symboles et des intrigues différents. De toute façon, nous saurons si le rêve a été bien interprété grâce à notre satisfaction. En effet, si nous sommes satisfaits, cela veut dire que nous avons deviné le message.
Les rêves qui se répètent avec une certaine fréquence revêtent une importance particulière car ils suggèrent et mettent en évidence des problèmes particuliers ou nous placent face à des réalités jouant un rôle essentiel dans notre vie. Il existe de nombreuses méthodes d'interprétations dont chacune prétend d'être la meilleure.
L'interprétation populaire utilise l'analyse directe : on attribue au sujet onirique les influences et caractéristiques que le rêve possède sur le plan réel. Ainsi, rêver d'être malade signifie que nous serons malades.
Une autre interprétation, dite contraire, prévoit le revirement du message. Par exemple, la pauvreté indique la richesse ; la maladie : la santé ; les larmes : la joie ; la mort : une longue vie.
L'interprétation magique, par contre, se base sur les croyances et superstitions populaires qui puisent leur signification dans un bagage ancien. Celui-ci contient souvent une vérité, qui s'égare ensuite du fait de l'ignorance et de la superstition. Par exemple, rêver d'une chouette veut dire malchance ; rêver de perdre ses dents : malheur.
En dernier lieu, nous avons l'interprétation illustrée, propre à la psychanalyse, où chaque sujet onirique s'interprète en utilisant un langage de symboles, par association et comparaison.
Pour mieux comprendre le message du rêve, nous devons tenir compte du fait qu'il peut nous fournir des informations à propos de choses et personnes du monde extérieur, du subconscient et de l'inconscient. Pour une meilleure analyse, nous conseillons de rédiger un journal onirique dans lequel nous prendrons note de tous les détails du rêve.
Dans ce journal, nous devons consigner le plus de matériaux possible, même les éléments qui nous semblent futiles car ils sont indispensables à une interprétation correcte.
Les couleurs du rêve ont une grande importance ; nous noterons donc à côté de chaque objet sa couleur, y compris le blanc et le noir. De plus, nous indiquerons au début de chaque analyse, la couleur dominante du rêve. Un bon journal doit être complété tous les jours, même lorsque nous ne nous souvenons pas des rêves de la nuit précédente. Dans ce cas, nous inscrirons nos premières sensations et pensées au réveil et si nous étions d'humeur triste ou gaie. Nos premières pensées et notre état d'âme du

matin sont souvent influencés par les rêves effectués pendant la nuit ; en les analysant, nous pouvons également saisir de petits détails du rêve que nous avons oublié.
Les rêves récurrents contiennent sûrement la clé qui peut résoudre les côtés faibles de notre caractère. Ils nous permettent aussi de découvrir ce qui nous trouble ou nous harcèle. En ce qui concerne l'analyse, il faut chercher à mettre le rêve en relation avec les événements de la journée écoulée ou avec les problèmes et faits importants que nous tentons de résoudre. Si l'interprétation ne nous satisfait pas, nous commencerons alors à analyser le passé distant seulement de quelques jours jusqu'à rejoindre le passé le plus lointain.
Ravivons aussi les émotions et les états d'âme perçus dans le rêve.
Lorsque nous procédons à l'analyse, il est très important de déployer beaucoup d'imagination, sans pour autant perdre de vue une certaine logique.
Il faut reproduire le rêve les yeux ouverts, pour pouvoir revivre, minute par minute, toutes les sensations et les émotions éprouvées.
Rappelons-nous que chaque partie du rêve nous apporte un message et analysons les minéraux, les végétaux, les animaux et les êtres humains en donnant à chacun d'eux une interprétation littérale et personnelle sans chercher de réponses ou correspondances sophistiquées et complexes.
Le rêve est le miroir de l'âme. Les personnes simples utilisent donc des symbolismes simples et les personnes sophistiquées des symbolismes sophistiqués ; c'est pourquoi l'analyse personnelle est la meilleure analyse. Si nous sommes déçus par l'interprétation, cela veut dire que nous n'avons pas réussi à tirer dans le mille. Il faut alors corriger le tir c'est-à-dire recontrôler non seulement la signification des symboles mais surtout l'interprétation véritable afin qu'elle soit la plus naturelle possible.
Mais hélas, l'homme croit que tout est complexe. La nature, y compris la nature humaine, est simple. C'est nous qui compliquons tout même notre vie onirique qui devrait être exempte de contaminations psychiques et matérielles.
Le rêve c'est nous, notre vie, notre essence ; ce sont des vibrations positives et négatives qui tourbillonnent dans un espace supérieur, une dimension intemporelle où tout est possible et réalisable et où les lois de la nature sont dépassées.
Voilà pourquoi le rêve se réfère à ce que nous savons déjà mais aussi à ce que nous devrions savoir.

Le langage

La censure

Depuis sa naissance et surtout dans sa première enfance, les sept premières années, l'homme emmagasine des informations et expériences qui le conditionnent pour le restant de sa vie.
Les parents, la maîtresse d'école, la bonne d'enfants et ensuite le milieu et divers autres facteurs créent chez l'enfant un modèle de vie dans lequel il existe toujours un dualisme. Depuis sa plus tendre enfance, l'enfant est entraîné à faire la comparaison entre ce qui est bien et ce qui est mal. On lui apprend que certaines actions sont bonnes ou mauvaises, morales ou immorales, justes ou injustes.
Bon gré mal gré, chacun de nous, en vertu de critères acquis, compare sans arrêt toute information. Le surmoi analyse, juge et censure les idées qui heurtent son propre conditionnement éthique, moral, religieux...
Lorsque notre comportement enfreint une de ces règles, notre moi trouve aussitôt une excuse pour justifier ses actions vis-à-vis de la conscience que nous portons en nous.
Ainsi, nous voulons avoir toujours raison : nos actions sont toujours honnêtes, ce sont toujours les autres qui agissent mal envers nous et c'est toujours à cause de leur mauvaise action que nous avons agi d'une certaine façon. Notre inconscient cependant connaît la juste mesure et lorsque notre comportement se heurte à la réalité créée, une « action » s'effectue au niveau inconscient.

Cette action fait partie du travail onirique qui chaque nuit s'apprête à mettre en place les conflits intérieurs nés de notre comportement fautif.
Chaque homme porte en lui un jugement créé à son image et le rêve devient une action où nous déchargeons toutes nos fautes, sous forme d'une confession. Nos fautes, cependant, se heurtent la plupart du temps à notre psyché et nous les censurons sous la forme d'une action qui puisse être acceptée par notre surmoi.
C'est la raison pour laquelle des camouflages se créent dans le rêve et le langage y prend une forme symbolique. Dans ce cas, c'est le fusible de sécurité qui entre en jeu, sans attaquer pour autant notre présumée personnalité individuelle. Dans l'interprétation d'un rêve le processus doit être inversé. Nous devons partir des symboles et des hallucinations oniriques pour les associer à notre vie psychique afin de parvenir à la conscience qui pèse et analyse tout. C'est uniquement par ce processus inverse que l'on réussira à découvrir le véritable contenu du rêve et à résoudre tout problème à la lumière d'une analyse de comparaison plus objective.

La transformation

Les personnages

Chaque élément d'un rêve, personnage, animal, plante et objet représente une partie de nous-même. A travers ces éléments divers, nous interprétons différents rôles. Le rêve est notre projection hallucinatoire totale et l'apparition onirique la plus insignifiante représente une de nos parties.
En rêve, nous nous transformons sans arrêt en prenant des apparences diverses. Si nous rêvons par exemple de notre mère, nous devons nous souvenir qu'en fait nous sommes ce personnage et que nous l'avons choisi car nos problèmes s'adaptent mieux à cette image qu'à une autre.
Nous sommes n'importe lequel des personnages qui apparaît dans nos rêves, même si celui-ci semble n'avoir aucun rapport avec nous. Ce personnage peut être une personne qui nous est totalement inconnue ; il peut être aussi un assassin, un violent ou tout autre personne qui se comporte différemment de notre manière de penser. Il s'agit toujours d'une projection d'un de nos problèmes ou conflits, ou d'un mode d'être que nous aimerions adopter mais qui se heurte à notre morale et que nous devons donc réprimer. Les exemples typiques à ce sujet sont les désirs sexuels de nature particulière – sadisme et masochisme qui, mis en pratique, provoqueraient la désapprobation et l'indignation de la société. Ce sont aussi des sentiments que nous n'avons pas le courage d'accepter. La personnalité que nous désirons montrer aux autres doit être irréprochable et nos désirs inavouables s'extériorisent dans les rêves.

L'homme se transforme en femme, et la femme en homme : la partie de notre être appartenant au sexe opposé émerge ainsi dans les rêves.
L'homme et la femme ne sont pas totalement masculin ou féminin. En effet l'homme a en lui un côté féminin et la femme un côté masculin qui émergent dans le rêve.
Lorsque la vieillesse nous effraie ou que nous la désirons parce qu'elle représente la tranquillité et la sagesse, nous nous transformons en vieillards. Mais si nous fuyons le présent et les responsabilités, nous devenons alors des enfants. Tout personnage humain est un vêtement que nous revêtons afin de pouvoir interpréter notre comédie onirique : nous étions roi et devenons esclave, princesse et devenons vieille mégère.
Il ne faut jamais généraliser la signification d'un rêve. Ce dernier est le miroir de l'âme et, du fait que chaque homme possède sa propre vie psychique, le contenu des rêves s'individualise. C'est pourquoi un symbole peut prendre une signification différente pour chaque rêveur. Pour un cheminot, rêver d'un train en marche peut représenter des problèmes dans son travail ; pour une autre personne, ce rêve peut signifier un désir sexuel.
Dans l'analyse la plus grande erreur consiste à généraliser le symbolisme onirique. Afin de pouvoir saisir la signification d'un rêve, il faut d'abord avoir compris le rêveur. C'est pourquoi le meilleur analyste est le rêveur lui-même.

Les camouflages

Ils sont toujours présents dans les rêves. Un camouflage se crée toutes les fois que nous craignons de connaître la vérité, de mettre en évidence un côté négatif de notre caractère ou d'accomplir un acte sexuel qui heurte notre morale. Nous nous masquons et camouflons pour pouvoir nous tromper nous-mêmes.
Ainsi, un écureuil rongeant un gland sur la branche d'un arbre peut représenter notre peur de la castration ; un bal masqué peut signifier notre désir de vouloir changer la réalité qui nous entoure.
Dans d'autres cas, le camouflage qu'utilisent nos rêves nous dissimule la vérité ; nous essayons d'ouvrir une porte mais la clé se casse ; nous voulons rejoindre l'autre rive d'un fleuve mais le courant nous entraîne ; nous désirons éclairer une bougie pour y voir mais le vent éteint nos allumettes. Ici nous voulons découvrir une certaine réalité que nous craignons. Mais si au contraire nous réussissons à craquer l'allumette ou à ouvrir la porte, nous nous réveillons sans avoir eu la possibilité de voir quelque chose ; le doute continue de subsister en nous. La vérité nous est refusée. Mais, si nous analysons ce rêve, nous découvrirons qu'elle y était présente sous un camouflage.

Les animaux

Notre transformation ne se limite pas aux personnages humains ; nous pouvons aussi prendre l'apparence d'animaux.
Pourquoi ressentons-nous le besoin de projeter aussi les animaux dans notre monde onirique?
Au cours de l'évolution, l'homme a toujours été conscient de se trouver à un échelon supérieur à celui des animaux. Cet état de chose lui a permis de se sentir fort et de se proclamer le Roi de cette planète. Du fait de ces sentiments, l'homme maltraite souvent les animaux. Cependant chaque animal, parce qu'il représente justement à un niveau archétypique un stade inférieur de la création, symbolise notre comportement bestial et instinctif.
Chaque animal peut représenter un de nos défauts ou une de nos peurs. Un grand nombre de personnes éprouvent un grand dégoût à la vue d'un serpent, d'une araignée ou d'un cafard.
Le lion symbolise l'agressivité latente que nous portons en nous ; le mouton : l'insécurité ; le lapin : la timidité ; le chien : la servilité ; le chat : l'hypocrisie et la perfidie et ainsi de suite...
Lorsque nous nous transformons en animal en prenant ses apparences, nous projetons nos désirs et nos peurs sur l'écran des rêves.
Si nous désirons avoir un rapport sexuel avec l'autre sexe, dans le rêve nous caressons une chatte. Si nous voulons une revanche sur notre chef de bureau qui nous a humiliés, nous donnons des coups de pied à un chien.
Pour analyser le rêve, il convient de faire attention à la taille, la couleur et l'attitude de chaque animal.
Si nous nous transformons en oiseau, rappelons-nous que les volatiles ont à leur disposition des moyens de locomotion qui diffèrent de ceux des autres animaux. L'oiseau qui plane dans le ciel peut représenter des désirs ou peurs liés à notre psyché et à notre morale. Si, en volant, nous éprouvons des sensations de liberté et de paix, le rêve est certainement positif. Si le ciel est bleu et le panorama agréable, cela signifie que nous recherchons cette paix et cette tranquillité que nous poursuivons depuis très longtemps. Par le vol, nous nous éloignons de la vie matérielle et l'élément dans lequel nous évoluons est impondérable. Les sensations de légèreté sont liées à notre désir d'être soulagés des lourds fardeaux que nous portons. Nous recherchons l'évasion, la libération de la routine et l'élévation. Dans ce cas, nous voyons souvent des rayons de lumière, des anges, de doux nuages et du bleu tendre ou l'indigo ; nous nous transformons en mouette ou en hirondelle. Ce rêve devient ainsi fantaisiste et libératoire.
Lorsque nous nous transformons en rapaces, c'est au contraire notre mégalomanie, notre plaisir de commander et notre soif de supériorité qui émergent. Si nous rêvons d'oiseaux qui ont des difficultés à voler ou qui

tombent, nous éprouverons alors des peurs, des phobies et des angoisses. Ce type de rêve est souvent accompagné de sensations désagréables si bien que nous serons agités au réveil et notre cœur battra la chamade.

Les insectes

Nous pouvons aussi nous transformer en insectes. Généralement le monde des insectes représente quelque chose de désagréable. Dans l'Antiquité, tous les insectes irritants étaient considérés comme des collaborateurs du Diable : le nom « Belzebu » signifiait « Roi des mouches ». Au Moyen Age, l'Eglise lança de nombreux anathèmes contre les insectes.
La transformation n'est cependant pas toujours négative. Il existe des insectes laborieux, telles l'abeille et la fourmi ; lorsque nous prenons leur apparence le rêve acquiert une valeur positive en référence à notre constance et notre application.
Si nous nous transformons en un splendide papillon, le rêve prend des nuances romantiques, et le désir de nous transformer nous envahit, à l'instar de la chenille rampante qui se mue en papillon multicolore.

Les végétaux

Lorsque nous rêvons d'un pré, d'une fleur, d'un arbre, nous prenons nous-même leur aspect.
Le pré peut représenter le désir de tranquillité et de paix ; l'arbre est un symbole de force et de majesté ; depuis les temps les plus anciens, il symbolise la vie et la protection.
L'homme s'identifie très souvent à l'arbre qui est le trait d'union entre le ciel et la terre, l'élément physique et l'élément céleste. L'arbre nous fournit l'air que nous respirons et la nourriture que nous mangeons. Dans l'Antiquité, tout était tiré des plantes, de la maison aux équipements, des habits à la nourriture.
Lorsque notre être intérieur cherche protection, tranquillité et joie de vivre, il se transforme en arbre. Les forces de notre âme émergent et s'extériorisent ; nous cherchons le juste équilibre entre notre corps et notre esprit. Prêtons aussi attention à tous les détails qui peuvent nous fournir des informations ultérieures : l'écorce est lisse ou rugueuse, les branches sont harmonieuses ou tordues, le feuillage luxuriant ou jaune et maladif.
De même, les sensations perçues grâce à l'ouïe, le toucher et l'odorat sont d'importants moyens pour pouvoir mieux comprendre le sens des rêves.
Si nous voyons une fleur, sa représentation est certainement liée à

l'amour. La fleur est le symbole le plus raffiné de l'amour ; ce n'est pas un hasard si on offre des fleurs à sa bien-aimée.
Rêver de couper des fleurs peut indiquer que nous nous sentons corrompus. Si la fleur est fânée, le rêve exprime nos peurs d'un rapport, nos désillusions amoureuses et notre crainte de n'être pas désiré.

Les symboles sexuels

Parmi nos nombreux instincts, l'instinct sexuel joue certainement un rôle très important qui ne justifie pas cependant la recherche excessive des problèmes sexuels dans chaque rêve.
Sigmund Freud dirigea essentiellement son analyse dans cette direction. Selon lui le sexe est le thème prédominant du rêve et indique souvent un désir sexuel non réalisable.
Freud eut beaucoup d'adversaires au cours de ces dernières années. Jung, un de ses élèves, ne partageait pas pleinement l'analyse freudienne.
Selon Freud, rêver d'une maison signifie que l'association onirique se réfère à des problèmes sexuels car, la maison étant un symbole féminin, la porte représente le vagin et les balcons, les mamelles. D'après Jung, la maison est le symbole du moi et chaque partie de la maison un aspect intérieur du rêve.
Selon Freud le serpent est un symbole phallique, Jung partage son opinion mais ajoute qu'il représente dans certains rêves le besoin de renaître et les forces curatives.
Freud soutenait que les objets de forme allongée et arrondie représentent le phallus tandis que tous les objets creux représentent le vagin. Ainsi, tous les rêves dans lesquels apparaissent un serpent, un oiseau, un clocher, un stylo, une banane, une carotte, un tronc, un doigt et d'une manière générale, tous les animaux ayant une queue proéminente assument le symbole onirique phallique, de même que certaines figures géométriques tels le cône, le cylindre et le parallélépipède. Ont valeur de symboles du vagin : un tunnel, des narines, une bouche, un nid, une poche, un étui, une pièce de monnaie, un vase, une bague. S'il s'agit d'animaux : une lapine, une chatte, une huître ; de fruits : une prune, une pêche, une figue, un abricot ; de figures géométriques : un losange, une ellipse et un triangle, surtout si son sommet est tourné vers le bas.
L'acte sexuel prend aussi une forme symbolique : rêver d'un train pénétrant dans une galerie représente le coït.
Garer une voiture dans un garage, se balancer, chevaucher, escalader une montagne et manger un fruit ont la même signification.

Exemples d'interprétation

Rêve sexuel

Une jeune fille de 18 ans a fait le rêve suivant : « Un homme masqué apparaît soudain tandis que je parcours l'allée d'un jardin. C'est le soir et je rentre à la maison. L'homme m'assomme. Lorsque je retrouve mes esprits, je suis dans un sous-sol, liée à un poteau, et mes vêtements sont déchirés. Mes jambes sont complètement nues. J'aperçois devant moi l'homme encapuchonné dont je distingue très bien les yeux qui sont d'un bleu intense. L'homme saisit des couteaux disposés sur une table ronde et commence à les lancer dans ma direction. Je hurle et me débats ; l'inconnu disparaît tout à coup. A sa place, j'aperçois un gros serpent qui vient vers moi en glissant. Je suis terrorisée, je hurle plus fort et me réveille toute agitée. Je suis troublée tout le restant de la journée. »

ANALYSE

– thème onirique : « L'enlèvement » ;
– personnages : la jeune fille, l'homme masqué ;
– intrigue (simplification) : une jeune fille est enlevée et séquestrée. Elle est très effrayée par un inconnu qui lui lance des couteaux et se transforme ensuite en serpent.

Eléments	*1re association*	*2e association*
jeune fille	moi	moi
homme	inconnu	mon fiancé
masquer	cacher	irresponsabilité
jardin	tranquillité	plaisir
poteau (liée)	sacrifice	hypocrisie
jambes nues	violence	acte sexuel
vêtements déchirés	violence	violence
yeux bleus	beau	amour
couteaux	blessure	violence
table ronde	cercle	grossesse
serpent	peur	phallus

1er message onirique. Quelqu'un veut me violer ou me faire du mal.

INTERPRÉTATION

Après avoir écouté le rêve, qui d'après moi était à caractère sexuel, je pose quelques questions au sujet.
Je réussis à saisir le message grâce aux réponses reçues. La jeune fille était enceinte de deux mois et son fiancé ne savait pas encore s'il allait l'épouser.
Ainsi l'homme était masqué, car inconsciemment elle ne voulait pas l'identifier à son fiancé. Mais les yeux bleus lui faisaient comprendre qu'il s'agissait d'un bel homme : elle considère ainsi son bien-aimé. Le jardin où survient l'enlèvement représente le plaisir du rapport sexuel éprouvé avant le désagréable inconvénient de la grossesse.
Les vêtements déchirés et les jambes nues symbolisent la violence sexuelle. La jeune fille rêve d'être attachée à un poteau qui, dans ce cas, représente aussi bien le phallus que l'irresponsabilité projetée sur le fiancé qu'elle tient pour responsable de ce qui s'est produit.
Les couteaux représentent le coït qui, au lieu d'être une source de plaisir, figure dans le rêve comme un acte de violence, cause de sa grossesse.
Le serpent qui rampe sur le sol indique la non-acceptation de l'acte sexuel et la peur que le phallus éveille à présent. La table où sont posés les couteaux est ronde pour indiquer l'état de grossesse et le ventre qui grossit.
Après cette explication, le sujet revoit la première association qui est plus proche de l'interprétation exacte du rêve.

2e message onirique. Je crains que mon fiancé n'ait abusé de mes sentiments et qu'il ne veuille pas accomplir son devoir de père. Je suis écœurée par l'acte sexuel car il est la cause de mon état.

Rêve frustrant :

Un homme de 40 ans a fait le rêve suivant :
« Je suis à la cime d'une montagne sur une petite surface, et des hommes font descendre avec des cordes un cercueil dans une crevasse très profonde et étroite. La crevasse est tellement étroite que le cercueil est descendu dans le sens vertical. A l'intérieur du cercueil qui est en verre, il y a un homme dont je ne réussis pas à voir le visage. Le cercueil descend toujours plus bas, la crevasse est sombre et inspire de la peur. Je me trouve encore à la cime de la montagne et l'angoisse me tourmente tellement que je hurle : « Mieux vaut la prison que de finir là en bas ». Le rêve s'évanouit et je me réveille en proie à une grande agitation ».

ANALYSE

– thème onirique : « L'inhumation » ;
– personnages : un homme dans un cercueil, le sujet, des ouvriers chargés de l'inhumation ;
– intrigue (simplification) : un homme que je ne connais pas est enterré dans une crevasse très sombre et je ne voudrais pas avoir la même fin.

Eléments	*1re association*	*2e association*
homme	moi	moi
montagne	escalade	carrière
petite étendue	salut	tranquillité financière
autres personnes	désordre	travail
crevasse	faillite	employeur
cercueil	immeuble	chantage
mieux vaut la prison	déshonneur	renoncement au chantage

1er message onirique. Je suis un raté ou j'aurai un accident.

INTERPRÉTATION

Après la première association, le sujet est aidé dans son analyse et réussit à saisir le vrai message du rêve.
Il faut avant tout mettre en relief ses problèmes : de cette façon, il semblera clair.

Il s'agit d'un homme, en pleine maturité, employé dans une société commerciale dont le titulaire se considère comme son meilleur ami. Cependant le sujet ne partage pas complètement ces sentiments, car il a compris que la richesse et la réalisation sociale sont le seul but que son patron a dans la vie. A cause de cette amitié, notre sujet doit toujours être disponible même en dehors des heures de bureau. Le patron l'invite souvent sans aucun scrupule, aux repas et fêtes de la société.
Dans un certain sens, le sujet est contraint d'accepter cette situation, par crainte de perdre son emploi.
Le rêveur voit son corps descendre toujours plus bas : cela signifie qu'il se sent coupable. La petite surface au sommet de la montagne représente le compromis avec lui-même, c'est-à-dire l'acceptation des conditions établies par son patron pour ne pas compromettre son emploi.
Du haut du mont, il crie « Mieux vaut la prison ». Par prison, il entend l'infamie absolue. Ce cri représente la voix intérieure qui désire se révolter contre le pouvoir dictatorial de son patron, mais le rêveur n'y parvient pas.
L'agitation se crée et le rêve devient un cauchemar.

2e message onirique. Je dois essayer de changer ma situation de travail car elle heurte mes principes.

Rêve calomniateur

Une femme de 27 ans a fait le rêve suivant :
« Je suis à la fenêtre d'une maison que j'habitais enfant ; nous sommes dans la même pièce ma mère et moi.
Dans la rue, sur une petite place à gauche, j'aperçois une dizaine d'hommes s'apprêtant à chanter en chœur. Ils portent tous une chemise blanche. Parmi eux, il y a un homme que ma mère et moi connaissons, un type odieux qui « sait quelque chose sur notre compte ». Je dois l'éliminer. Mais il se trouve au milieu des autres, et je ne désire pas frapper des innocents. Ma mère approuve l'assassinat. Je pense pouvoir l'atteindre avec un fusil ; je le crée en tendant le bras droit, je pointe l'index. L'homme se détache du groupe et court vers ma fenêtre. Je tire froidement deux coups de feu, puis un troisième pour plus de sécurité. Je tue l'homme.
Je m'aperçois avoir inscrit tous les noms des chanteurs sur une feuille de papier. Cette preuve doit être détruite ; sans cette feuille de papier, personne ne pourra m'accuser. Je la fais brûler dans un cendrier. Je me rends au marché pour me créer un alibi. J'aperçois un magasin ouvert (une espèce de garage) rempli de cages avec des canaris qui volent et ouvrent

le bec mais sont complètement muets. J'ai peur car le silence est absolu. Si les canaris ne sont pas mis en liberté, ils resteront muets à tout jamais.

ANALYSE

– thème onirique : « Un assassinat » ;
– personnages : moi, ma mère, un groupe d'hommes ;
– intrigue (simplification) : des hommes chantent, l'un d'entre eux sait trop de choses sur mon compte ; je l'assassine avec l'approbation de ma mère. Je me rends au marché et remarque dans un magasin des canaris en cage qui n'arrivent pas à chanter.

Eléments	*1re association*	*2e association*
fenêtre	regarder	une part de ma vie
maison d'enfance	sécurité	passé
mère	indifférence	complicité
petite place	liberté	mon pays
chœur d'hommes	discussion	parents et amis
chemises blanches	pureté	hypocrisie-couverture
homme odieux	mal	calomnie
fusil	colère	courage
index	accuse	annuler
feuillet de la preuve	négation	vérité
marché	contacts	se cacher
magasin de canaris	discuter	mes pensées
cages	prison	le conditionnement
silence	peur	peur
mutisme	mort	mort psychique

1er message onirique. Je fais taire quelqu'un qui connaît mes secrets mais j'ai peur d'être punie par la mort.

INTERPRÉTATION

Le sujet examiné est une femme qui a divorcé depuis peu de temps. La mère vit dans un petit village où les gens s'occupent volontiers des affaires des autres et le commérage est à l'ordre du jour. Sa propre mère l'accuse sans arrêt d'avoir ruiné la bonne réputation de la famille.
Les hommes de la petite place qui s'apprêtent à chanter en chœur sont les gens du pays qui cancanent. Parmi eux, il en est un particulièrement important : étant connu de la mère, il représente les parents proches. Les

chanteurs portent des chemises blanches parce qu'ils désirent paraître purs et innocents. Pour eux, critiquer le comportement de cette femme est un acte de mérite et un jugement de personnes sages. Le sujet tue l'homme, qui fait fonction de bouc émissaire, en pointant l'index : le doigt qui représente l'accusation. Mais ceci ne suffit pas : le passé est inscrit dans l'esprit des parents et des amis ; elle brûle alors la feuille de papier qui représente les preuves et les souvenirs. Pour s'éloigner de la vérité calomnieuse, elle se rend au marché, là où il y a échange de biens, dans ce cas d'opinions.
Elle voit dans le magasin une quantité de canaris enfermés dans des cages mais qui sont muets et resteront mutilés jusqu'à ce qu'ils soient libérés. Cette vision inspire de la peur au sujet.
La conclusion du rêve est amère : la rêveuse se rend compte qu'au marché (la société), les personnes (identifiées aux canaris) sont des paysans entièrement conditionnés, prisonniers du dualisme et esclaves de leurs pensées au point de vivre la vie des autres au lieu de vivre la leur. Les personnes pourront chanter à nouveau, c'est-à-dire vivre vraiment, si elles sont libérées de leur prison faite de conditionnements.
La peur dérive du fait que la femme craint de se laisser conditionner par les autres et de se sentir prisonnière d'un mode de penser qui n'est pas le sien et la conduirait à une annulation psychique.

2e message onirique. Le mode de penser de mes relations au sujet de mes décisions risque de me conditionner, mais j'élimine le danger. Il reste cependant que la société me désapprouve. J'ai peur de devenir comme elle et désire que les autres me comprennent.

Rêve libératoire

Une femme d'environ 40 ans a fait le rêve suivant :
« Je traverse l'océan, l'eau est calme, transparente et bleu turquoise, tout comme le ciel.
Je me rends compte que je me trouve sur un bateau en compagnie de ma sœur qui m'est très chère. Elle m'informe qu'elle a sauvé tous les animaux et me tend une poule aux couleurs vives. Je reste ensuite toute seule ; je porte une belle fourrure de renard autour du cou. A un moment donné, des dizaines de petits animaux naissent de cette peau ; ils se détachent et se jettent à la mer. D'après leur taille et leur conformation, ils ressemblent à de petits visons ou à des taupes qui portent une fourrure très luisante. Au premier moment de perplexité succède une prise de conscience : je ne veux pas sauver ces animaux de la noyade car ils me répugnent, mais j'ai conscience de mal me comporter. Après un instant, la fourrure commence

à trop me serrer le cou et tente de m'étouffer. Après un effort surhumain, je réussis à l'arracher de mon cou et la jette à la mer. Je la vois réémerger avec horreur : elle s'est transformée en un énorme monstre ayant la forme d'une demi-lune. Je comprends qu'il désire se hisser sur le bateau pour le faire couler. Je suis impuissante. Par un mouvement agile et rapide, il se propulse sur la plateforme, mais le bateau ne vacille pas. Je réussis à les rejeter à la mer trois fois. La quatrième fois il ne fait plus surface. »

Analyse

– thème onirique : « L'arche de Noé » ;
– personnages : ma sœur, moi ;
– intrigue (simplification) : je suis sur un bateau où ma sœur et moi mettons à l'abri des animaux. Soudain la fourrure que je porte au cou engendre une multitude d'animaux. Après quoi elle commence à m'étouffer et je la jette à la mer. La fourrure se transforme en un monstre qui grimpe sur le bateau pour le faire couler. Je réussis à le repousser trois fois. Enfin le monstre disparaît.

Eléments	*1re association*	*2e association*
eau calme, turquoise	tranquillité	calme intérieur
bateau	sauvetage	besoin d'aider
sœur	amie	mon bon côté
animaux	inconnus	êtres indigents
poule multicolore	extravagance	grandeur
fourrure de renard	richesse	luxure
accouchement	multiplication	excès
animaux repugnants	erreurs	fautes
étouffement	manque d'air	mort spirituelle
lancer dans l'eau	se libérer	libération
monstre	peur	régression

1er message onirique. Peur d'être jugée par les autres.

Interprétation

La femme en question s'occupe de haute couture et s'habille de façon très élégante et raffinée avec des vêtements d'exclusivité. Du fait de son habillement, elle est constamment un pôle d'attraction et est considérée hautaine et différente des autres. Dernièrement, elle a éprouvé la nécessité d'éliminer ce type de vêtements et de s'éloigner du bien-être matériel. En réalité cependant, elle n'arrive pas encore à accomplir cet acte et elle se libère dans le rêve de ce pesant fardeau qui lui crée de graves crises spirituelles. La sœur « bonne » qui sauve les animaux est son côté positif qui désire aider les autres ; la poule multicolore représente l'acceptation inconsciente de sa façon de se vêtir, et le renard la luxure. Ses sentiments de culpabilité relatives à l'habillement la suffoquent et c'est d'eux que prennent naissance toutes les frustrations spirituelles. Elle sent le besoin de changer et cherche à éliminer le monstre qui représente désormais le point culminant de ses problèmes. En rêve, elle réussit à accomplir cet acte qu'elle n'est pas capable de faire dans la réalité. Le bateau représente un événement qu'elle désire et dans lequel elle pourra trouver la force d'éloigner d'elle la luxure.

2e message onirique. Renoncement à la richesse, besoin de purification et d'évolution.

Rêve prophétique

Un homme de 35 ans a fait le rêve suivant :
« Je vois un homme d'environ 70 ans chaussé de sandales portant un froc et un bâton sur lequel il s'appuie ; il a aussi une longue barbe blanche et peu de cheveux. Il parcourt un sentier de montagne avec un groupe de personnes plus jeunes composé d'hommes et de femmes. On entend soudain un grondement, la terre tremble et le vieillard invite le groupe à presser le pas, mais les autres (qui se trouvent 50 mètres plus loin), rient. Tout à coup la terre s'ouvre et une immense crevasse sépare le vieillard du groupe. Attristé, le vieillard continue à monter vers le sommet de la montagne lorsque soudain ses jambes ne le soutiennent plus et deviennent raides comme paralysées. Le vieillard « fond » et devient un petit diamant encastré dans la roche. A ce point, je réalise être ce diamant et que la montagne est sertie d'autres diamants, et m'aperçois que je peux communiquer avec les autres en modulant ma lumière. Nous sommes tous heureux et attendons un événement avec sérénité. De loin je distingue le point où se termine le sentier entre deux grosses montagnes d'où une lumière blanche illumine le ciel. Je suis heureux ».

Analyse

– thème onirique : « Une escalade insolite » ;
– personnages : le vieillard, les amis ;

– intrigue (simplification) : le guide d'un groupe d'amis est séparé de la compagnie pendant son escalade. Il se transforme en diamant et se rend compte qu'il communique avec d'autres entités elles aussi transformées. L'objectif qu'il aperçoit sous forme de lumière est encore loin.

Eléments	*1re association*	*2e association*
vieillard	sage	elle n'existe pas car le
sandales	pauvreté	sujet a été capable
bâton	guide- commandement	d'identifier la signification du rêve dès
froc	frère-initié	la première analyse
montagne	escalade-difficulté	
route	chemin	
tremblement de terre	changement	
amis	joie	
paralysie	mort	
fonte	métamorphose	
diamant	lumière spirituelle	
lumière modulée	communication	
autres diamants	compagnie	
lumière forte	objectif	
bonheur	amour	

1er message onirique. Evolution spirituelle.

INTERPRÉTATION

Le sujet réussit à interpréter son rêve sans l'aide de la seconde association. Le rêve prend une valeur prophétique. Il s'agit d'un homme qui fait des discours au cours de réunions périodiques dans un cercle d'amis. Le rêve lui permet de comprendre qu'il restera tout seul (lors d'importants événements qui se produiront) à cause du comportement léger de ses compagnons car ils ne seront pas préparés. Il comprend cependant que son petit pas évolutif a été accompli, et attend de reprendre la route vers cette lumière sous forme de pierre encastrée dans la roche. La montagne est le symbole typique de l'ascension spirituelle ; on peut faire le même commentaire à propos des lumières, pourvu qu'elles apportent des sensations agréables comme dans ce cas.

Les facultés paranormales dans les rêves

Depuis les temps les plus reculés, les rêves ont été considérés comme un des moyens importants et accessibles à tous d'exercer des facultés paranormales. Parmi les nombreuses facultés ESP, la précognition est très certainement l'aptitude la plus extériorisée dans le rêve. Nous avons l'exemple de très nombreux personnages, prophètes, saints, voyants qui, pour recevoir d'importants messages, ont utilisé ce moyen. En consultant la Bible, nous trouvons la description d'innombrables rêves prophétiques dont les plus fameux sont ceux du Pharaon qui ont été interprétés par Joseph.

Les rêves annonçant de grandes tragédies sont parfois faits quelques années auparavant. Par exemple, le 4 avril 1912, lors du naufrage du Titanic, de nombreuses personnes, dont les proches des victimes, firent des rêves angoissants de type prémonitoire. Le président américain Abraham Lincoln eut beaucoup d'expériences oniriques de type précognitif. Il fit un rêve qui lui annonçait sa mort. Des états de conscience altérés prennent forme dans les rêves.

Différents pour chaque personne, ils font émerger la partie de l'inconscient personnel et des périodes de conscience appartenant à l'inconscient collectif. Le rêveur peut occasionnellement se trouver projeté au-delà de l'espace-temps dans une cinquième dimension. Ainsi placé sur un plan différent, il lui est aisé de percevoir les événements passés, présents et futurs.

La précognition

La précognition est une perception extra-sensorielle fascinante.
Depuis toujours, l'homme cherche à comprendre à l'avance ce que son futur lui réserve. Précognition signifie tout simplement « connaître avant », c'est-à-dire percevoir des événements avant qu'ils ne se produisent réellement. Tous les arts divinatoires se basent sur l'acte précognitif. La précognition peut être spontanée, cet aspect apparaît spécialement dans les rêves ; parfois il s'agit d'une précognition voulue, mais, dans ce cas, les résultats ne sont pas toujours satisfaisants. Voir un endroit avant de s'y être rendu est aussi une faculté précognitive ; pour un grand nombre de personnes ces visions ont lieu lorsqu'elles dorment. Il arrive que l'on rêve d'un lieu inconnu dans lequel on se trouvera réellement quelque temps après. Il ne s'agit pas là du « déjà vu », illusion psychologique ou nous croyons revoir une scène qui s'est déjà produite dans le passé. Dans le cas du rêve précognitif lié à un lieu jamais visité, on a la parfaite connaissance du lieu rêvé. Si par la suite nous nous trouvons en réalité dans ce même lieu, nous saurons a priori qu'au fond de la rue, par exemple, il y a une fontaine ou une maison.
Il faut cependant prendre garde au fait que, très souvent, cette perception ne possède aucun lien avec les facultés extra-sensorielles ; il s'agit simplement d'un souvenir rattaché à notre mémoire chromosomique. Outre à contenir toutes les caractéristiques génétiques présentes dans l'A.D.N. (acide désoxyribonucléique), la mémoire chromosomique comprend aussi les souvenirs psychiques de nos ancêtres.
Ce que nous retenons parfois comme acte précognitif, par exemple voir à l'avance un certain lieu, n'est autre qu'un souvenir de notre père ou grand-père ou aïeul qui s'était rendu dans ce lieu. Parfois l'acte précognitif est dû à la mémoire subliminale.

Si nous nous promenons dans la rue par exemple, notre inconscient enregistre des images dont nous ne tenons pas compte car notre attention est attirée ailleurs. Toutefois ces images nous pénètrent et se révèlent à notre mémoire dans une phase ultérieure. Ainsi, en repassant dans cette rue, nous pouvons avoir la sensation que telle marchandise est exposée dans telle vitrine et nous sommes surpris de constater que nous avions raison. En réalité, c'est l'acte subliminal qui nous a donné la faculté illusoire de précognition.
Dans le cas de véritable précognition, la complexité de la perception et sa précision excluent, sans l'ombre d'un doute, la présence d'un autre moyen de communication. La précognition est très fréquente dans les rêves. Nombre de personnes ont déjà rêvé d'événements qui se sont ensuite ponctuellement vérifiés. La plupart du temps, les événements sont

à caractère négatif et se réfèrent à des maladies, accidents et morts, ceci parce que l'émotion liée à la peur et à la terreur contient davantage d'énergie psychique que n'en contiennent la joie et l'allégresse. D'autres fois, le rêve précognitif se rapporte à une calamité nationale ou à une grave tragédie collective. Dans ce cas, l'acte dramatique, grâce à sa potentialité, facilite l'acte précognitif chez les personnes particulièrement sensibles.

Très souvent les rêves précognitifs sont symboliques et non réels : le rêve ne se déroule pas en calquant exactement l'événement qui se produira mais revêt des symboles qui rendront plus difficile l'interprétation du message. Certaines fois, le rêve devient plus clair après que le fait se soit réellement produit.

D'autres fois, le thème onirique demeure inchangé : on comprend immédiatement qu'il s'agit d'un rêve précognitif. Selon la tradition populaire, les rêves d'oiseaux qui volent, de comètes et d'avions représentent des événements qui surviendront. Ces définitions sont trop vagues ; reste que le symbole représente souvent quelque chose qui arrive de loin. Personnellement je reconnais mes rêves précognitifs car ils se déroulent toujours dans un train ou une gare ; dans ce cas aussi, il y a présence d'un symbole lié à un moyen de locomotion venu « d'ailleurs » qui porte avec lui le message onirique.

On utilisait et on utilise encore de nos jours, dans certaines localités du Sud, une pratique très similaire à un rituel magique : « la neuvaine ».

La neuvaine est exécutée pour obtenir une réponse relative à un problème ou savoir si tel traitement ou tel remède est efficace pour combattre une certaine maladie.

Ce rite consiste à se rendre à l'église pendant neuf jours consécutifs et à prier les saints pour qu'ils envoient des messages oniriques qui permettront de résoudre des problèmes personnels.

Les saints que l'on prie le plus sont sainte Agnès, l'Archange Michel et la Sainte Vierge. La neuvaine est quelquefois exécutée personnellement par la personne concernée, d'autres fois par un proche, un ami intime, etc.

Nous rencontrons dans ce rite la technique utilisée pour l'incubation des rêves. L'expérience onirique de ce genre peut être créée volontairement en utilisant les rêves.

Si nous désirons connaître à l'avance, par nos rêves, un événement, nous inscrirons sur une feuille de papier la date ou la période future à laquelle nous voulons nous référer. Si l'événement est lié à une personne, nous y joindrons sa photographie, que nous placerons sous notre oreiller. Dès que nous serons au lit, nous répéterons mentalement la date du jour dans lequel nous voulons nous projeter. Afin de faciliter la précognition, ainsi que les autres facultés paramentales, il est conseillé de ne pas trop manger le soir, de dormir dans la ligne du magnétisme terrestre, la tête au nord et les pieds au sud ou vice-versa et de ne pas porter de vêtements étroits ni de couleurs trop vives.

La voyance

La voyance ou don de double vue, est la faculté de percevoir des événements qui se produisent simultanément mais en des lieux différents. En précognition des événements projetés dans le futur sont perçus tandis qu'en voyance, les événements sont présents dans l'espace-temps même. Etre voyant signifie tout simplement « y voir clair ».

On peut qualifier d'activités de voyance : lire dans des livres ou lettres fermés : décrire des objets contenus dans des boîtiers clos ; voir des objets à travers un mur ; percevoir des événements qui se produisent dans un autre lieu et cela sans aucune limite de distance, etc.

Grâce à la voyance on peut retrouver des personnes égarées et émettre des diagnostics à distance, en utilisant une photographie.

On peut vérifier des phénomènes de voyance dans l'état de veille ou dans des états variables tels la transe (petite, moyenne, grande) l'hypnose ou encore pendant les rêves.

Des rêves spontanés sont faits aussi bien en voyance qu'en précognition. Cependant, avant d'affirmer qu'un rêve est à caractère de voyance, il faut considérer le facteur télépathique. La voyance est très souvent confondue avec la télépathie et vice-versa. Ceci signifie qu'il ne doit exister aucune possibilité télépathique pour être sûr que le médium ait accompli la voyance. Ainsi, si une des personnes présentes connaît a priori le contenu de la boîte, elle peut inconsciemment transmettre le message ou le médium peut involontairement lire l'information dans son esprit.

Pour accomplir la voyance volontaire, on peut se servir de la technique de la suggestion « du soir ». Si nous désirons savoir quelque chose à propos d'une personne, nous placerons sa photographie et sa date de naissance sous la nôtre. Si nous ne possédons pas de photo, les données d'état civil suffiront. Dès que nous serons au lit, nous répéterons trois fois les coordonnées de la personne en essayant de la visualiser dans notre esprit comme si elle était là. Si nous désirons savoir quelque chose nous concernant, nous procéderons de la même façon. S'il s'agit d'un objet, nous placerons l'objet (lorsque cela est possible) sur la table de nuit ou on écrira le nom de cet objet sur une feuille de papier accompagnée d'une liste des caractéristiques relatives à sa forme, sa couleur, sa provenance, etc. Visualiser l'objet avant de s'endormir.

Par ce système, on peut aussi découvrir les caractéristiques curatives des plantes médicinales.

La technique est très simple : prendre, lorsqu'on est au lit, un morceau de

feuille ou racine ou n'importe quelle partie de la plante dont on désire découvrir les propriétés ; la placer sur le plexus solaire (un peu plus bas que le sternum appelé aussi « creux de l'estomac »). Se décontracter avant de s'endormir et répéter trois fois l'intention de connaître les qualités de la plante. Au cours de la nuit, nous connaîtrons par les rêves ce que nous voulons savoir.
Cette technique était très utilisée dans l'Antiquité et nombre des caractéristiques curatives des herbes ont été découvertes par des sages pendant leurs rêves de voyance.

La psychométrie

La psychométrie est un type de voyance particulière et la personne qui exerce cette faculté est en mesure de recevoir de l'objet des sensations visuelles, auditives, tactiles et gustatives.
Psychométrie veut dire « lecture de la vie d'un objet ».
L'objet raconte « son » histoire et par là même celle des personnes avec lesquelles il a été en contact. Selon une théorie pseudo-scientifique, il semble que cela puisse se produire grâce au passage d'électrons et d'informations se vérifiant toutes les fois qu'un être vivant entre en contact avec un quelconque objet.
L'objet se comporte comme une bande magnétique sur laquelle sont enregistrés les états émotionnels profonds liés à des événements importants, car l'émotion dégage une grande quantité d'énergie psychique.
Pour avoir la certitude qu'il s'agit d'une expérience de psychométrie, aucune des personnes présentes ne doit connaître le lieu de provenance de l'objet sous examen ; autrement on « retombe » dans la télépathie.
Pour exprimer cette faculté durant les rêves, l'objet doit être présent dans la chambre au moins physiquement ; mieux encore si nous tenons l'objet entre nos mains avant de nous endormir. S'il s'agit d'un petit objet, le placer au contact du front sur le point chakra appelé aussi « troisième œil ». Ce point est situé entre les sourcils à environ 2 centimètres au-dessus. Prolonger le contact physique avec l'objet pendant cinq minutes au moins et respirer profondément en pensant à la couleur indigo ou violet pour améliorer la réception des sensations. Un excellent système consiste à penser que les cellules de notre corps se répandent en pénétrant l'objet examiné. Il faut penser aussi qu'à chaque expiration les cellules de notre corps s'éloignent d'un point central, par exemple le cœur, et que la distance entre une cellule et l'autre devient plus grande.
Laissons-nous envahir par le sommeil lorsque nous aurons terminé l'exercice. Les sensations exactes liées à la vie de l'objet arriveront pendant les rêves.

Nous conseillons d'exécuter des expériences avec des lettres d'amour ou des écrits à forte charge passionnelle ou émotive. En effet, plus un objet est chargé en psychisme émotionnel, plus la lecture psychométrique devient facile. Les photographies sont elles aussi chargées d'informations vibratoires. Il vaut mieux utiliser des objets personnels : montre, bague, boucle d'oreille..., ayant été longtemps en contact direct avec le corps de la personne.
Prenons l'exemple de la montre qui, dans certains cas, devient le prolongement de la personne. Le rythme du temps est une répétition du battement cardiaque. En effet, dans la plupart des cas, la montre s'arrête inexplicablement à l'heure exacte de la mort du propriétaire.

La télépathie

La télépathie est la faculté extra-sensorielle la plus courante et la plus facile à utiliser. On dit qu'à l'aube de l'humanité le moyen de communication était exclusivement de type télépathique. L'homme communiquait avec tous les autres hommes et êtres (animaux et végétaux) en utilisant sa pensée.
La communication télépathique est parfaite parce que le message riche d'éléments est émis très rapidement.
Par la télépathie, on reçoit l'image complète et exacte d'un lieu, d'une action, d'une idée...
Beaucoup sont d'accord pour dire qu'aujourd'hui encore de nombreux êtres communiquent par ce système. Il existe entre les animaux et les plantes un psychisme collectif qui permet le passage d'informations d'un animal à son congénère, comme si chaque animal était une cellule d'un grand être.
La télépathie est très souvent confondue avec la voyance. La distinction entre ces deux facultés est en fait difficile à déterminer. La télépathie peut être divisée en deux grandes parties : la première s'appelle « grande télépathie ou télépathie involontaire », la seconde « petite télépathie ou télépathie volontaire ».
La grande télépathie est un parfait système de transmission dans lequel le message envoyé arrive au destinataire de façon intégrale et parfaite. Toutefois ce genre de télépathie est involontaire et indépendante de notre volonté car elle se produit spontanément dans des circonstances particulières. La grande télépathie se manifeste dans les « grands » rêves où un message la plupart du temps inconscient, parvient au destinataire qui dort et est reçu sous forme onirique. Beaucoup de personnes ont rêvé la mort de l'un de leurs proches et ont ensuite reçu la nouvelle du triste événe-

ment. En cas de mort d'une personne chère, le message émis par la personne agonisante prend des forces considérables. Ce type de télépathie est hélas involontaire et peut se produire dans n'importe quel rêve.
Ces expériences de télépathie sont conduites avec une ou plusieurs personnes qui transmettent et d'autres qui reçoivent.
Tout se passe comme dans une station radio où un programme est envoyé dans l'espace sous forme de fréquence électromagnétique. Toutefois, pour que l'écoute du programme se fasse, on doit placer un appareil récepteur exactement sur la même fréquence. En effet en télépathie, quelqu'un transmet à un autre qui reçoit et il faut que la fréquence soit la même ; chez l'homme cette parfaite fréquence peut s'appeler syntonie, sympathie, amour. C'est pourquoi les messages télépathiques se produisent fréquemment entre personnes unies et en syntonie.
Pour transmettre une pensée, le sujet peut se trouver dans un état de conscience altéré ou dans un état normal de veille. Par contre, la réception sera plus aisée si le sujet se trouve dans un état de conscience altéré, dans une phase de présomnolence, ou encore dans la phase du rêve. Si on désire lire dans la pensée d'une autre personne, et cela à son insu, le résultat sera moins satisfaisant. Celui qui essaie de capter devrait au moins être dans un état de relaxation très profond.
Pour la transmission télépathique volontaire, il faut utiliser quelques suggestions simples : en premier lieu, se concentrer sur le contenu de la transmission et, en second lieu, formuler toujours la pensée à la première personne.
En se concentrant sur le contenu de la transmission, il faut créer une véritable image mentale en oubliant la distance qui nous sépare du récepteur. La télépathie fonctionne à quelques mètres de distance aussi bien qu'à des milliers de kilomètres ; toutefois si nous pensons que plus la distance est grande, plus la transmission sera difficile, nous nous conditionnons. Il faut au contraire penser que l'on a la personne devant soi ; on peut utiliser sa photo pour faciliter l'expérience. Le second point très important se base sur l'acceptation psychologique suggérée à la première personne. Cela revient à dire que si nous voulons transmettre un message contenant une information à une autre personne, par exemple lever le bras droit, l'ordre « A présent TU lèveras le bras droit » ne doit pas être formulé ; on dira au contraire « A présent JE lève le bras droit ». Le message sera prêt pour le récepteur.
Si nous désirons envoyer un message télépathique à une autre personne il faudrait, pour que cela se produise facilement, connaître le moment où cette personne va se coucher de façon à transmettre le message durant la phase de somnolence ou présommeil.
Dans le présommeil, nous sommes dans un état de conscience altéré : l'écorce cérébrale émet des ondes alpha. Le sujet capte plus facilement le

message télépathique durant cette activité cérébrale. Dans la phase du rêve (en parlant toujours de télépathie volontaire), la réception se produira seulement si le sujet se trouve dans un rêve émotif qui l'amène à un stade plus léger du sommeil.
Si l'on désire transmettre un message à un sujet présent, on agira lorsqu'il se trouvera dans la phase du rêve. En lui soufflant légèrement sur le visage et en lui effleurant le front, nous altérerons l'état de sommeil. L'expérience télépathique peut alors commencer.
Rappelons-nous que le message s'insère normalement dans le rêve, comme s'il était uniquement une stimulation externe. Nous pouvons donc le trouver sous forme de représentation d'association. Si nous transmettons par exemple l'image du feu, le sujet récepteur captera l'image du feu ou bien il l'insérera dans son rêve, c'est-à-dire qu'il pourra rêver qu'il fait griller de la viande sur un feu. Toutefois si cette insertion onirique n'est pas possible (parce que le rêve est complètement différent), la transformation associative se manifestera par un autre moyen par exemple le rêveur rêvera qu'il a très chaud...
Lorsque deux personnes dorment dans la même chambre et particulièrement dans le même lit, elles feront des rêves communs. Le rêve partagé se manifeste spontanément et le sujet ignore l'avoir fait dans la plupart des cas. Vous étonnerez souvent votre conjoint en lui racontant votre rêve car celui-ci apercevra qu'il a lui aussi fait ce même rêve. Nous avons déjà vu que, pendant la période de grossesse, la mère et l'enfant font eux aussi les mêmes rêves. En effet, les rêves peuvent se partager lorsqu'il existe un lien particulier. L'exemple typique à ce propos est celui des jumeaux monozygotes qui partagent leurs rêves même lorsque des milliers de kilomètres les séparent. Dans ce cas, une espèce de cordon ombilical psychique tient les esprits unis.
Il vaut mieux « se donner » des suggestions avant de s'endormir pour que la transmission télépathique se produise. Peu avant, nous respirerons profondément et répéterons trois fois au moins mentalement le message à envoyer ; de même, nous visualiserons la personne réceptrice en répétant son nom. Cette technique sert à charger l'inconscient : durant la nuit la pensée de devoir transmettre un message créera au niveau inconscient l'état de conscience nécessaire à la transmission du message. Pour savoir si le message a été reçu, le sujet récepteur doit faire part de son rêve que l'on analysera. Il ne faut pas se décourager si le message n'a pas été reçu. On répétera l'expérience encore quelques nuits.
Un excellent système de transmission télépathique exécuté pendant des cours d'oniromancie examinait l'expérience collective : la moitié des participants devaient transmettre à une autre moitié qui recevaient. Le message à transmettre, tiré au sort parmi 20 autres, était remis lorsque les personnes réceptrices s'étaient déjà éloignées. A la fin de cette expérience,

on a remarqué que la télépathie collective donnait de meilleurs résultats. Le sexe de la personne est aussi très important en télepathie : généralement dans les expériences où l'on utilise les facultés extra-sensorielles, les femmes obtiennent de meilleurs résultats, mais on obtient des résultats encore meilleurs si c'est un homme qui transmet et une femme qui reçoit. Le résultat est médiocre lorsque la femme transmet et que l'homme reçoit : le résultat est très mauvais lorsque une íemme transmet et une autre reçoit.
On doit tenir compte de cette statistique pour les expériences et le choix des sujets.

La télékinésie

La télékinésie est une faculté extra-sensorielle qui permet de faire bouger et déplacer des objets à distance par la simple utilisation de la force de la volonté.
Pour que la télékinésie soit possible, il faut se placer dans la cinquième dimension, au-delà de la dimension de l'espace-temps.
Pour pouvoir agir sur une dimension, l'homme doit se trouver dans une dimension supérieure. Il vit ainsi dans l'espace-temps (ou quatrième dimension) comme il le fait sur cette planète sur laquelle cependant il ne peut agir que sur les trois dimensions inférieures. On pourrait dire que la force de la gravité n'existe pas comme force en soi, mais comme une déformation de l'espace-temps.
La force de gravité et l'inertie sont des propriétés exactement parallèles des masses de la matière. La gravitation est l'effet d'une déformation (courbe) de l'espace-temps.
Pour comprendre la courbe du temps, imaginons notre univers tel un drap parfaitement tendu, sur lequel sont éparpillées des billes en fer, représentant les planètes. On voit une légère courbe dans la partie du drap en contact avec les billes (à cause de leur poids). Cette courbe est, dans notre espace, une distorsion du temps qui se vérifie toutes les fois qu'une masse existe.
Autour des masses, l'espace est courbe impliquant aussi le temps, donc les mouvements et événements qui se produisent dans ce lieu. Pour nous, le temps existe seulement par rapport à la planète Terre ; si nous nous déplaçons dans l'espace avec un engin spatial, le temps est modifié.
Pour qu'un objet puisse bouger sans l'aide d'une force ou énergie, une altération de l'espace-temps doit être créée dans la zone. Dans ce cas, l'action arrive d'une dimension supérieure. Selon les connaissances magiques, la pensée est une véritable énergie capable de créer une altération espace-temps temporaire si elle est dirigée d'une façon exacte. On

trouve l'exemple le plus évident à ce sujet dans les cas de télékinésie involontaire comme celui du Poltergeist. Dans ces cas, les sujets, la plupart du temps jeunes ou adolescents, créent inconsciemment des mouvements : assiettes qui volent, bibelots qui tombent à terre... De même, dans les jeux de hasard, avec les dés par exemple, les joueurs les plus acharnés utilisent très souvent la télékinésie sans le savoir.

Plier des métaux est aussi une faculté de télékinésie ; on peut dire la même chose du développement et de la croissance des plantes.

D'autres facultés extra-sensorielles, telles la psychophonie, la lévitation, la combustion spontanée et la photographie avec la pensée ont été regroupées dans la télékinésie. Nous faisons aussi de la télékinésie lorsque nous dormons et rêvons (même si cela peut sembler invraisemblable).

Le facteur le plus important est évidemment la vérification de la réalisation cinétique. L'expérience la plus simple et encourageante s'exécute avec une montre traditionnelle. Elle consiste à faire déplacer les aiguilles d'une montre arrêtée depuis longtemps ou à influer sur le mécanisme en avançant ou retardant l'heure. On obtient de plus grands résultats dans le second cas : au cours d'expériences menées en groupe durant des séances d'oniromancie, environ 30 % des participants ont eu de bons résultats.

La technique est très simple : on met la montre au poignet ou sur la table de nuit, on inscrit l'heure sur une feuille de papier et, avant de s'endormir, on pense influer sur la montre en anticipant ou différant l'heure indiquée. Lorsqu'il s'agit d'une montre équipée d'aiguilles, on fera bouger les aiguilles en imaginant l'action mentalement. Si la montre est arrêtée, on imaginera en entendre son tic tac. Notre inconscient continuera l'expérience durant la nuit : nous ferons des rêves dans lesquels nous manœuvrons la montre pour en modifier l'heure. Il est nécessaire, pour obtenir un bon résultat, d'être en excellente santé et de s'abstenir de tout rapport sexuel.

On peut toutefois avoir d'excellents résultats dès la première nuit. Dans ce cas, on notera les rêves afin de découvrir, par l'analyse, si la pensée de l'action cinétique a influencé notre monde onirique.

L'hypnose et les rêves

Il est impossible de donner une date au début de l'utilisation des pratiques hypnotiques car celles-ci se perdent dans la nuit des temps. L'hypnotisme était autrefois pratiqué sous forme de rites et opérations magiques.
Nous avons l'exemple de sorciers sauvages qui utilisaient des danses effrénées et des tambours pour entrer en transe, et de magiciens et devins qui se servaient de sang, de terre ou de rites magiques pour entrer en état d'hypnotisme. Les sacerdotes de toutes les époques se servirent eux aussi de cette technique.
Ces techniques, basées sur l'hypnose et le magnétisme, se développèrent spécialement en Inde, au Tibet et en Chine. On découvrit ensuite qu'elles servaient à soigner quelques maladies et furent utilisées à cet effet surtout en Egypte. En 1958 l'hypnose fut officiellement reconnue aux Etats-Unis et utilisée dans les traitements médicaux.
Le mot hypnose provient du grec *ipnos* par lequel on désignait le dieu du sommeil. En réalité, l'hypnose est un état de conscience altéré dans lequel on étudie les phénomènes concernant la suggestion consciente et inconsciente.
Les techniques hypnotiques sont très nombreuses, elles vont du système verbal, le plus utilisé, aux systèmes magnétique et subliminal et jusqu'aux techniques du sommeil.
Contrairement à ce que beaucoup pensent, l'état d'hypnose n'a aucun rapport avec le sommeil, et le sujet hypnotisé n'est absolument pas « esclave » de l'hypnotiseur ; en effet, il est toujours conscient de ce qui lui arrive. Le

degré de magnétisme n'est absolument pas un signe de faiblesse, mais démontre, au contraire, que l'on a affaire à de bons sujets faisant preuve d'intelligence et d'imagination. En hypnose, il existe des étapes, des passages, et chaque étape indique à l'hypnotiseur à quel degré de sommeil hypnotique ou d'altération de conscience est arrivé le sujet.

Quant aux discours sur les rêves, on considère deux systèmes d'hypnose, dont l'un est appelé « technique subliminale » et l'autre « technique pendant le sommeil ».

La technique subliminale est aussi appelée « persuasion occulte » car le sujet assimile au niveau conscient, sans s'en rendre compte, des suggestions. Pour comprendre la dynamique de la persuasion occulte, nous devons considérer succinctement cette partie de notre vie psychique dans laquelle se produit l'activité dite consciente.

La vie consciente est composée de trois énergies principales. La première est la conscience, c'est-à-dire la reconnaissance de quelque chose lié à un souvenir, à savoir le premier exemple que Jung appelait archétypique. La seconde énergie est l'action, c'est-à-dire l'acte qui nous pousse vers la connaissance. La troisième est le sentiment, c'est-à-dire l'émotion que nous éprouvons dans la connaissance.

Dans la vie consciente, il doit exister un jugement pour qu'il y ait connaissance, c'est-à-dire la reconnaissance d'une valeur ou d'un concept. Il faut aussi que se fasse une comparaison avec l'expérience acquise et les archétypes emmagasinés depuis la naissance et d'autres déjà présents au niveau de l'inconscient collectif.

Nous avons appris dès notre enfance ce que les mots « verre », « maison », etc. signifient. Nous portons en nous un premier exemple qui peut être considéré comme un mètre de comparaison que nous utilisons continuellement en le confrontant à ce que nous voyons.

La technique subliminale ou persuasion occulte est, au contraire, une information non perçue au niveau conscient, mais acceptée au niveau inconscient, et introduite de cette façon dans notre psyché. Si on nous dit par exemple : « Dehors, il y a un âne qui vole », nous comparons l'information avec notre expérience qui nous révèle que ceci est impossible. Si, par contre, l'information réussit « à passer » sans que la sélection ne se produise, c'est-à-dire sans la confrontation avec les archétypes et l'expérience, nous acceptons cette information et la considérons comme vraie, et nous nous précipitons à la fenêtre pour voir l'âne qui vole.

A partir de cela, nous comprenons le grave danger de cette technique particulière, qui est d'ailleurs absolument interdite dans tous les pays du monde. La validité de la persuasion occulte a été expérimentée à plusieurs reprises par de grandes sociétés commerciales qui, avec un permis légal, ont fait des essais sur un grand nombre de sujets. Le subliminal est une information qui, échappant à notre activité sensorielle, est toutefois emmagasinée par notre inconscient. Nous pouvons expérimenter cette technique par une projection cinématographique. En principe, dans une projection, 24 photogrammes se succèdent par seconde et c'est de cette façon que nous percevons la sensation illusoire du mouvement. Mais si nous intercalons un photogramme contenant une image différente tous les 23 photogrammes, celle-ci passera inaperçue car notre œil ne réussira pas à la voir. Toutefois notre inconscient se comporte comme une super-vue qui enregistre aussi cet unique photogramme. Si une certaine suggestion est projetée à travers cette image, elle nous frappe à notre insu et la ferons « notre » sans nous en rendre compte, comme si cette idée ou pensée naissait de nous. Si ce genre de publicité était permis, le public deviendrait semblable à un robot totalement contrôlé dans chacun de ses choix, pensées, etc.

La technique subliminale ou persuasion occulte peut aussi être utilisée pour corriger et conditionner les rêves d'une personne.

Ces expériences sont normalement menées avec le consentement du sujet qui se soumet donc volontairement à la suggestion occulte. On utilise une pellicule cinématographique et on agit de la façon expliquée précédemment. On peut se servir d'un système plus simple qui consiste à projeter des images statiques au moyen d'un simple obturateur d'appareil photographique en gardant un temps d'exposition de 1/100e de seconde. Si ces projections sont faites peu avant d'aller au lit, il est fort probable que le sujet rêvera de l'image qui lui a été envoyée par le système subliminal.

Dans certains cas, le système subliminal se fait automatiquement. Par exemple, nous conduisons et apercevons inconsciemment l'image d'un panneau publicitaire : cette vision pourra très bien se manifester dans nos rêves ou influer sur une chose ou une décision future.

L'hypnose traditionnelle est elle aussi utilisée pour diriger les rêves. Pour qu'il soit possible de suggérer un rêve, le sujet doit se trouver dans un état hypnotique qui créera une altération de la conscience.

Les techniques utilisées pour hypnotiser un sujet débordent le cadre du discours onirique et sont donc omises volontairement. Par contre, les techniques relatives à la partie du rêve sont d'un type différent.

Il est possible de programmer complètement un rêve en donnant des suggestions appropriées. Dans ces suggestions, une scène est programmée qui prendra forme dans un des rêves de la nuit. Après cela, on « tire » le sujet de son sommeil hypnotique. Pendant la nuit le sujet rêvera de l'image suggérée. Rêver les yeux ouverts se produit aussi dans un état de conscience altéré qui rappelle parfois l'état d'autohypnose. Nous partons en voiture et parcourons sans nous en rendre compte au niveau conscient une centaine de kilomètres.

Cette abstraction se produit quelquefois dans des lieux et aux moments les plus incongrus. Dans ces moments-là, notre esprit se trouve complètement « d'un autre côté » et nous vivons des scènes ou moments agréables.

Rêver les yeux ouverts est salutaire ; en effet, nous nous déchargeons ainsi de toutes nos tensions. Nous pouvons aussi dire que rêver de cette manière fait fonction de soupape de sécurité.
On conseille même de créer volontairement ce genre de rêve pour donner libre cours à notre imagination et construire notre monde idéal qu'il n'est pas possible d'obtenir dans la vie réelle. Les artistes et les savants rêvent souvent les yeux ouverts.
Ces rêves leur permettent d'enrichir leurs facultés et développer leur imagination.

Les couleurs dans les rêves

La plupart des gens font des rêves en couleur, même s'il existe des exceptions. En effet, nous pouvons aussi rêver en noir et blanc ou avoir des rêves dans lesquels la couleur est uniforme.
La couleur dans les rêves est très importante.
Chaque ton possède une énergie particulière qui dans certains cas permet à l'état d'âme inconscient de s'extérioriser.
Si, au niveau conscient, nous éprouvons des sentiments de méchanceté, de peur ou de terreur envers quelque chose ou quelqu'un, nous choisirons certainement la couleur noire (symbole du mal) si nous devions donner une couleur à ces sentiments.
En général, les personnes ou objets que nous voyons en rêve ont dans la réalité les mêmes couleurs. Il peut toutefois y avoir un renversement ou une distorsion.
Si, par exemple, nous rêvons d'un arbre, celui-ci aura presque toujours un tronc marron et des feuilles vertes. Mais on peut cependant lui attribuer des couleurs inhabituelles et étranges qui ne conviennent pas du tout à un arbre. Cette distorsion a toujours une signification que l'on trouvera dans l'analyse du rêve.
Il faut prêter attention aux couleurs du rêve, en particulier à la couleur prédominante. Ainsi, si la scène se déroule sur un pré, la couleur prédominante sera le vert ; dans le ciel, le bleu...
Il existe aussi des rapports entre rêve et activité biologique. Lorsque nous rêvons en couleur, la température du corps est sensiblement plus élevée ;

lorsque nous avons de la fièvre les couleurs sont plus vives et chaudes et tendent au rouge, orange, jaune.
Généralement, la couleur des rêves représente l'état d'âme et rend la valeur psychique d'un sentiment.
En principe les couleurs claires et vives, bien assorties et limpides sont toujours positives et représentent la paix de l'âme et la sérénité. Par contre, les teintes sombres et imprécises sont symptômes d'angoisses, peurs et conflits intérieurs. Rêver en noir et blanc peut signifier que le rêveur a de gros problèmes ou une imagination limitée. La couleur du milieu dans lequel nous dormons peut interagir sur les rêves ; pour les altérer, il suffit de placer un morceau d'étoffe de la couleur idéale dessous notre tête. La lingerie personnelle peut aussi influer sur le rêve ; par exemple, la couleur rouge crée des cauchemars et des peurs nocturnes.
Les couleurs froides (bleu, indigo, violet) favorisent le sommeil et stimulent les rêves calmes et sereins.
Par contre, les couleurs chaudes (rouge, orange, jaune) les troublent. Pour éviter de tels inconvénients, il faut dormir avec des oreillers et des draps blancs.
Les anciens connaissaient l'importance des couleurs et leurs énergies riches en vibrations qu'ils utilisaient pour soigner les maladies.
Ce système, appelé chromothérapie, se base sur ces connaissances. Chaque couleur possède une action thérapeutique importante et agit tant sur la partie psychique que sur la partie physiologique.

Voici ci-dessous la liste des couleurs avec leur signification.

Marron

La couleur marron peut représenter la défécation et le plaisir inconscient qui remonte au stade anal.
Le marron peut donc indiquer des problèmes provenant de l'enfance. Cette couleur, liée à l'acte anal, peut aussi indiquer des problèmes sexuels, particulièrement l'homosexualité.
Dans certains cas, elle représente un sentiment d'infériorité et la présence d'un défaut physique.
La présence excessive de cette couleur dans les rêves peut signifier malheur et désadaptation. Le rêveur tente de se libérer de ses problèmes ; il espère souvent que la personne qui lui est proche pourra l'aider.

Rouge foncé

Représente la libido, la dépravation sexuelle, l'agressivité, la bassesse des instincts et le lien avec tout ce qui est matériel.

Cette couleur est souvent présente dans les cauchemars et les rêves d'épouvante. Elle est le symbole de l'activité sexuelle effrénée, du porno et du péché.
La haine et l'égoïsme colorent les rêves de rouge foncé.

Rouge vif

Le rouge vif, au contraire du rouge foncé, est un symbole d'activité, de purification. Cette couleur représente aussi le feu purificateur et la chaleur intérieure qui réveille l'énergie spirituelle assoupie dans chaque homme.
La couleur rouge vif symbolise la circulation sanguine. Souvent, cette couleur représente la stimulation vers l'activité physique et le besoin de faire du sport.
Cette couleur est aussi la couleur de la jalousie. La personne qui « peint » souvent ses rêves de rouge est un sujet égocentrique qui recherche le succès.

Rose

C'est une couleur très positive, qui représente la relaxation et la sérénité, le plaisir de vivre et une période de complète réalisation. La couleur rose est le symbole de la féminité dont sont exclus le sexe et l'amour égoïste. La couleur rose convient à la femme qui donne aux autres gentillesse, grâce et paix. Par la couleur rose, l'homme communique avec les autres.

Orange

Représente l'application, les études et la recherche intérieure. Lorsque la couleur orange est présente dans les rêves, elle signifie intégration dans le monde, force et connaissance.
Nous nous éloignons de la matière pour pénétrer dans un monde supérieur.

Jaune

C'est la couleur qui amène l'homme vers les pratiques magiques et ésotériques. Symbole d'allégresse et de bonheur. Elle est la chaleur intérieure qui s'extériorise.
Cette couleur est négative lorsqu'elle tend au vert. En principe, la personne qui rêve de cette couleur recherche des changements et des valeurs plus élevées. Cette personne croit dans le futur.

Vert

C'est le symbole de la vie, de la connaissance, de la nature. Cette couleur aide les techniques de self-control et sa présence peut signifier le besoin d'un repos psychologique.
Le vert est la couleur de l'espérance et de la sensibilité. La personne qui peint ses rêves avec beaucoup de vert veut devenir « pleine de bonne volonté », cherche l'indépendance, la confiance en elle-même et désire être acceptée par les autres.

Bleu

Indique la sérénité totale, la spiritualité, la tranquillité. Nous sommes heureux et détendus lorsque nous sommes dans cette couleur.
L'esprit se purifie, la psyché est contrôlée et la matière a une importance limitée.
La personne qui rêve de la couleur bleu recherche l'harmonie, le bien-être et des valeurs plus grandes ; parfois le désir de cette couleur peut signifier la recherche du refuge et le besoin de paix.

Violet

C'est la dernière couleur de l'iris qui représente la transcendance, la méditation, l'action sacrée.
La couleur violet stimule le système nerveux, le sens artistique, augmente l'intuition et aide à se contrôler.
La personne qui rêve de cette couleur désire que ses pensées se réalisent ; elle recherche tendresse et sentiments sincères.

Blanc

C'est le symbole de la pureté, la virginité, la candeur, la spiritualité, l'évolution, la connaissance supérieure et l'ensemble de toutes les énergies.
Le blanc peut représenter le besoin de modifier notre comportement en cherchant dans la foi et la religion la valorisation de nos propres sentiments.
Si la couleur blanche est sale et tachée, ce sont nos sentiments de culpabilité qui émergent et nous indiquent la voie de la réalisation.

Noir

Représente généralement tout ce qui est négatif : la peur, les forces du mal qui nous troublent et nous impliquent. Cette couleur est le symbole du chaos, de nos terreurs inconscientes. La personne qui peint ses rêves en noir est une personne pessimiste qui ne se contente pas de sa situation présente ; elle se heurte à tout le monde, est têtue et mégalomane.

Argent

Cette couleur représente la passivité et les forces lunaires. L'inconscient et la psyché prennent symboliquement cette couleur. L'argent est la couleur qui apaise le noir et la peur ; dans la couleur argent, nous apercevons les forces intérieures qui amènent le rêveur vers la recherche psychique.
La voyance, la précognition et toutes les facultés paranormales prennent de la force. Parfois, cette couleur représente le manque d'objectivité et le conditionnement du milieu.

Or

Cette couleur est le symbole des forces solaires, l'énergie pure, la lumière divine. La majesté divine revêt une telle couleur.
La couleur or représente la raison, l'activité spirituelle et la richesse de l'âme.
Parfois cette couleur peut indiquer les biens matériels, l'argent et le bien-être.

Les pierres précieuses

Les pierres précieuses, splendides gemmes, sont le symbole de la richesse, de la noblesse, de la beauté et de l'incorruptibilité.
Des légendes de dieux et de splendides idoles, de mystère, de malédictions, de puissance leur sont liées. Leur lumière est le scintillement d'antiques énergies ; chaque rayon lumineux reflété, chaque scintillement est écho de vieux souvenirs reliés à des périodes ancestrales, lorsque l'homme n'avait pas encore fait son apparition physique sur cette merveilleuse planète.
Pour tout ce qu'elles représentent, les pierres précieuses constituent d'importants symboles oniriques.
Chaque gemme possède une énergie qui lui est propre et toutes les fois qu'elle participe à nos rêves, nous nous « branchons » sur sa fréquence.
Chaque pierre possède sa couleur et sa vibration particulière. Notre inconscient collectif a emmagasiné toutes ces analogies et les projette à notre insu dans nos rêves.
Voilà pourquoi toute pierre précieuse présente dans nos rêves doit être examinée ; d'importants messages oniriques pourraient se camoufler dans ces symboles.

Voici ci-dessous la liste des pierres précieuses et leur signification.

Aigue-marine

L'aigue-marine est une pierre de couleur bleu appartenant à la planète Vénus ; son mois correspondant est mars.
Dans les rêves, elle apporte bonheur, richesse, amour conjugal heureux et grandes intuitions.

Ambre

L'ambre est une résine fossile d'un joli jaune d'or.
Dans les rêves il indique des services rendus par des personnes immorales.

Améthyste

L'améthyste est une variété de quartz de couleur violet transparent. Elle est utilisée en bijouterie notamment pour fabriquer les bagues épiscopales. Le mois qui lui correspond est février. Dans les rêves, elle apporte l'amour. La personne qui en rêve a un esprit d'initiative et connaîtra succès et réussites.

Corail

Le corail est le squelette d'animaux marins ; sa structure est arborescente, sa couleur varie du rouge au rose.
Dans les rêves, il indique des dangers venant de l'eau particulièrement pour les enfants. Parfois il signifie « attention aux fractures ».

Cornaline

C'est une pierre dure dont la couleur varie du blanc rougeâtre au rouge foncé.
Dans les rêves, elle apporte rivalité et procès.

Diamant

C'est la pierre précieuse la plus dure et pure. Il provient du carbone pur cristallisé.

Il est le symbole de la lumière divine et de la limpidité. Le mois qui lui correspond est avril.
Dans les rêves, il apporte de la chance en affaires, de la protection, de la santé ; il est le signe d'un accouchement sans problème pour la femme enceinte.

Emeraude

C'est une gemme recherchée à la couleur verte. Elle symbolise l'harmonie et l'amitié. Le mois qui lui correspond est mai. Dans les rêves, elle indique succès intellectuels et des idées nouvelles.

Grenat

C'est une pierre précieuse de couleur rouge. On l'appelle aussi grenadier. Le mois qui lui correspond est janvier.
Dans les rêves, il indique de bonnes affaires, des voyages agréables.

Lapis-lazuli

C'est une pierre précieuse bleu-violet veinée de couleur or. Dans les rêves, il indique une amitié fidèle et des amours consolidés.

Onyx

C'est une pierre précieuse dure appartenant à la famille de l'agathe ; il a des couches parallèles de différentes couleurs.
Dans les rêves, il indique la fin des ennuis et des préoccupations, le début de la paix et de la tranquillité.

Perle

Elle est formée d'une sphère blanche dure ayant des reflets irisés.
Elle est sécrétée par les mollusques marins bivalves. Le mois qui lui correspond est juin. C'est un symbole lunaire, lié à l'eau et à la femme.
Dans les rêves, elle apporte pleurs et désillusions.

Rubis

C'est une belle gemme de couleur rouge vif.
Il était considéré, dans l'Antiquité, comme l'emblème du bonheur et de la chance. Dans les rêves, il indique des décisions soudaines apportant succès et changements positifs.

Saphir

Pierre précieuse d'un beau bleu transparent Le mois qui lui correspond est septembre. Dans les rêves il représente la reconnaissance des mérites propres et la paix spirituelle.

Topaze

C'est une pierre précieuse, de couleur jaune transparent. Elle symbolise la liberté et la joie spirituelle. Le mois qui lui correspond est novembre. Dans les rêves, elle apporte le triomphe sur les ennemis.

Turquoise

C'est une pierre précieuse opaque, de couleur bleu pâle. Le mois qui lui correspond est décembre. Dans les rêves, elle indique légèreté et vie volage qui peut nuire à la longue.

DEUXIEME PARTIE
Dictionnaire des songes prémonitoires

par Diane Von Alten

A

ABANDONNER **être abandonné de sa famille :**
vous gagnerez beaucoup d'argent

être abandonné dans la rue (ou dans une église) :
si vous l'avez été par des parents, vous ferez de grands profits, si vous l'avez été par des amis qui vous sont chers, vous vous sentirez découragé et vous subirez une perte d'argent

abandonner un chien, un chat, un oiseau :
des discussions avec la personne aimée vous entraîneront vers une dispute

ABATTRE **quelqu'un ou quelque chose :**
la chance vous sourira au bout de nombreuses peines

des arbres fruitiers ou des arbres à fleurs :
maladie grave suivie d'une guérison lente

ABBAYE **près d'un bois :**
vos chagrins se trouveront réconfortés

ABBE **en train de prier** (dans une église demi-sombre) :
vous aurez des nouvelles d'un lointain parent oublié

en chaire :
quelqu'un veut vous mettre des bâtons dans les roues pour une question d'héritage

en train de bénir :
une personne amie vous aidera : votre avenir est assuré

en état d'ébriété :
vous devrez faire des sacrifices

à coté d'une sœur :
vous serez grandement favorisé par la fortune dans tous les domaines

en habit clair en train de manipuler des filtres et des éprouvettes :
votre santé n'est pas très bonne : vous devez suivre une cure de désintoxication

ABBESSE **la voir :**
vous vous marierez vite

ABEILLES **les voir en train de voler :**
aussi bien pour celui qui vit à la campagne que pour le propriétaire : prédiction de gain et succès dans les affaires
pour les autres personnes : signifie problèmes, maladies

les tuer :
est un signe de chance pour tout le monde, excepté pour les paysans

les capturer :
vous aurez des problèmes et des soucis

en être piqué :
vous serez trahi par quelqu'un que vous considérez comme un ami

ABIME **y tomber :**
danger, grave accident, duperie

ABOYER **entendre un chien aboyer :**
vous devez conjurer un danger menaçant

entendre un chien hurler et aboyer :
méfiez-vous des flatteurs et des faux amis

entendre aboyer un chien enragé (et en être mordu) :
vous aurez des problèmes à résoudre et vous subirez une offense

ABREUVER **quelque animal :**
vous devrez surmonter un obstacle

ABREUVOIR **le voir :**
richesse, abondance

ABRI **vous y trouver :**
vous êtes surchargé de travail et vous aspirez au repos

le chercher et le trouver :
chance, avenir assuré

devoir y aller :
vous devrez surmonter des moments pénibles et difficiles
problèmes et obstacles

ABRICOTS **les manger :**
santé, plaisir momentané mais chagrin d'amour dans un proche avenir

ACCOUCHEE **la voir :**
vous aurez peu d'enfants
bonheur, plénitude, une grande joie en perspective

ACCOUCHER **se voir accoucher :**
signe de bonheur et d'abondance
dans le rêve d'un homme : vous réaliserez et mènerez à terme, avec succès, une nouvelle entreprise

ACCROCHER vous aurez du succès dans votre travail

un habit :
maladie risquant de récidiver

une cage avec des oiseaux :
vous êtes inconstant

une horloge :
vous êtes avare

un cadre :
trahison

ACCUSER **être accusé par quelqu'un :**
vous recevrez de mauvaises nouvelles

accuser quelqu'un :
vous êtes excessivement sévère dans vos jugements

ACHETER **quelque chose :**
vous êtes généreux, néanmoins vous jetez l'argent par les fenêtres

aliments :
vous aurez des hôtes agréables

fruits :
il se peut que vous perdiez de l'argent

ACQUERIR **de nouveaux objets :**
chance

des objets déjà possédés :
vous subirez de grandes pertes

ACTEURS **les voir :**
vous engagerez une grosse dépense, attention aux amis superficiels

ADMIRER **quelqu'un ou quelque chose :**
votre entourage est vide et sot

ADOLESCENT **retourner à l'âge de l'adolescence :**
vous aurez de grandes satisfactions dans votre vie affective

le voir vêtu de blanc :
vous serez favorisé dans votre travail

l'embrasser et le serrer dans ses bras :
en vieillissant, vous conserverez votre enthousiasme et votre fraîcheur juvéniles

ADRESSE **la lire :**
vous recevrez de bonnes nouvelles

ADULTERE **le commettre :**
de fâcheux soucis ne tarderont pas à vous affliger. Il arrivera un accident à quelqu'un de votre connaissance

AGATE **la posséder :**
vous avez des affaires en suspens

la porter :
vous serez avantagé dans vos affaires

AGENOUILLER dans la vie, vous vous laissez dominer et c'est votre femme qui est la première à en profiter

AGENT DE POLICE **le voir en service :**
vous aurez beaucoup de chance au jeu, gain à la loterie

AGIR **se voir en pleine activité :**
un futur prospère s'annonce pour vous

AGNEAU **le tenir dans ses bras et le caresser :**
vous travaillez intensément et votre situation économique va s'améliorer

le voir au pâturage :
vos enfants vous donneront des satisfactions

en trouver un égaré :
votre mariage est heureux

AIDE **la demander :**
vous aurez de la chance et vous ferez du bien à quelqu'un

l'offrir :
quelqu'un de votre entourage profite outre mesure de la situation

AIEUX (voir Ancêtres)

AIGLE **le voir :**
maladie qui sera vite et heureusement guérie

le voir voler :
un projet que vous formez depuis longtemps se réalisera. Ne délaissez pas pour autant les questions de moindre importance
mais plus urgentes !

immobile au-dessus de votre tête :
présage de mort

vous transportant :
grave danger

menaçant de vous attaquer :
un homme puissant vous menace

domestique :
vous aurez de la chance

accoucher d'un aigle :
votre fils sera un militaire combattant

en voir un mort :
si vous vous trouvez dans une situation subalterne la chance vous favorisera, dans
le cas contraire attendez-vous à un grave danger,
des obstacles et des empêchements

en voir beaucoup dans le ciel :
votre patrimoine augmentera de façon inattendue

AIGUILLES **qui piquent :**
on vous portera préjudice et on vous créera des ennuis

AIL **le manger :**
vous vous disputerez avec des connaissances

le cueillir ou l'acheter :
vous aurez des discussions avec des parents au sujet d'un héritage

AILES **les posséder et voler :**
vos affaires vont très bien

mécaniques :
vous aurez une longue maladie

AIMANT **le voir :**
les gens sont fascinés par votre vive personnalité
vous tomberez amoureux

ALCOOL **en boire :**
méfiez-vous car vous êtes entouré de personnes déloyales

ALIENE **l'être :**
vous porterez à terme une activité commencée depuis longtemps
chance

le voir :
vous êtes angoissé par des problèmes d'ordre sentimental

se disputer avec :
chance, aisance

ALLAITER c'est un songe qui prédit la chance : mariage pour le célibataire, enfants pour celui qui n'en a pas, richesses pour celui qui travaille

sucer le lait de sa mère :
si vous êtes enceinte, vous accoucherez d'une fille

si vous n'êtes plus de la prime jeunesse :
les richesses iront à celui qui est dénué de tout bien et les pertes d'argent à celui qui vit dans le confort

ALLIANCE **la voir :**
vous êtes fidèle en amour

la porter :
votre mariage sera heureux

la recevoir :
quelqu'un vous aimant profondément désire vous épouser

la perdre :
vous vous disputerez et vous vous séparerez pour peu de temps cependant

ALLUMER **le feu :**
heureux présage aussi bien pour le travail que pour la vie amoureuse

la lumière :
vous recevrez une bonne nouvelle

une bougie :
gaieté

ALLUMETTES **les voir :**
vous aurez une agréable surprise, votre patrimoine s'accroîtra

les éteindre :
une situation désagréable et douloureuse vous attend

ALOUETTE **qui chante :**
vous recevrez de bonnes nouvelles et vous serez favorisé en amour

la capturer :
un lien affectif très solide est sur le point de se rompre

la manger :
vous serez responsable d'une disgrâce qui vous arrivera

ALPES **les franchir :**
vous devrez surmonter de gros obstacles

les voir :
fortune conquise au bout d'un dur labeur

AMANDES **les manger :**
amour et mariage

voir un amandier en fleurs :
réalisation d'un désir

AMANT **si vous êtes marié et rêvez d'avoir des rapports avec votre amant(e) :**
vous êtes insatisfait et avez une attitude hostile à l'égard de votre famille

si vous n'êtes pas marié et rêvez d'avoir des rapports avec votre amant(e) :
votre vie affective s'améliorera

AMBULANCE **la voir :**
vous perdrez une personne qui vous est chère

AMENDE **être condamné à une amende :**
maladie, compte en suspens

AMER **manger ou boire quelque chose d'amer :**
vous jouirez d'une excellente santé

AMETHYSTE **la voir :**
vous serez maltraité

AMIRAL **lui parler :**
vous aurez une agréable surprise en famille

le voir :
quelqu'un veut vous tromper

AMIS **en voir un oublié depuis longtemps :**
vous aurez des difficultés d'ordre financier

qui vous offensent :
vous aurez de bonnes nouvelles

que vous offensez :
maladie

voir des amis déjà morts :
vous recevrez une nouvelle inattendue

trouver un nouvel ami :
chance, bonheur

rire avec des amis :
litige en vue

AMOUR **le faire avec son mari ou sa femme :**
une affaire que vous désirez depuis longtemps conclure se fera

essuyer un refus :
malchance dans les affaires

avec une inconnue :
chance

avec une prostituée :
bonheur

avec une femme/homme marié :
chagrins en vue

AMPHORE **la voir :**
rivalité amoureuse

cassée :
attention à un danger

AMPUTATION **d'une partie du corps :**
vous vous libérerez de faux amis

d'une main ou d'un bras :
vous vous comporterez avec sagesse dans un moment particulièrement délicat

d'un pied :
vous devez encore attendre pour résoudre une question financière

de la tête :
pour celui qui occupe une position modeste, la fortune et l'avancement sont en prévision. Pour celui qui détient déjà le pouvoir et la richesse, des pertes d'argent et de gros ennuis sont à craindre

AMUSER (S') **avec des amis :**
vous inspirez la sympathie et vous êtes recherché par vos amis
vous serez invité à une fête

ANCETRES **les voir :**
croyez à ce qu'ils vous diront

ANCHOIS **les pêcher :**
une agréable surprise vous attend

les pêcher et les remettre dans l'eau :
richesses toutefois conjuguées à des querelles familiales

les saler :
vous mourrez riche et honoré

ANCRE **la jeter :**
un projet que vous avez formé se réalisera

la voir :
vous ne partirez pas en voyage

ANE **le chevaucher :**
bien que lentement vous atteindrez votre objectif

le voir :
problèmes, disputes

ANGUILLE **la pêcher :**
santé mais risque de trahison

morte :
satisfaction, plénitude spirituelle et affective

la laisser glisser entre les doigts :
vous perdrez une bonne occasion

la manger :
vous recevrez une bonne nouvelle

ANIMAL **menaçant :**
un ami vous fera de la peine et des méchancetés

domestique et qui vous appartient :
vous recevrez une visite inattendue de la part de quelques lointains parents. Vous ferez l'acquisition d'une maison

féroce :
attention aux ennemis. vous aurez des difficultés dans votre métier

étrange et inconnu :
malchance

l'avoir chez soi lui et ses petits :
danger imminent

ANTIQUITES **les trouver :**
vous découvrirez un trésor ou vous hériterez d'une grosse fortune

APPELER **une personne :**
il lui arrivera malheur

soi-même :
grave danger

APPLAUDIR **être applaudi :**
gardez-vous de faux amis

applaudir :
quelqu'un désire vous connaître

APPUYER (S') **sur quelqu'un ou sur quelque chose :**
vous devrez recourir à l'aide de quelqu'un pour atteindre le but que vous vous étiez fixé

AQUARIUM **le voir :**
vous êtes plein d'amertume et de tristesse

ARAIGNEE **en voir une énorme chez soi :**
vous devrez bientôt subir un procès ou vous vous trouverez au milieu d'un fâcheux litige

la tuer :
sécurité et gains considérables

être couvert de toiles d'araignées et d'araignées :
un événement favorable et inespéré se produira dans votre travail
gros gains

ARBRES **en fleurs :**
bonheur

portant des fruits :
vous êtes entouré d'amis

secs, brûlés ou foudroyés :
vous tomberez malade, de tristes événements vous attendent

abattus :
la chance vous abandonne

y grimper :
chance

vous asseoir à la cime :
vous atteindrez une position de prestige

vous asseoir en-dessous :
vous recevrez une bonne nouvelle

qui prennent naissance dans votre corps :
maladie et perte de l'organe d'où ils prennent naissance
mort

ARC-EN-CIEL **le voir :**
vous devrez faire face à des changements

courbe vers la droite (par rapport au soleil) :
vous aurez beaucoup de chance

courbe vers la gauche :
vous devrez affronter des problèmes

ARCHITECTE **le voir :**
vous résoudrez une situation désagréable et dangereuse

ARDEUR **être doté d'un tempérament ardent dans le domaine sexuel :**
refroidissement sur ce plan-là

ARGENT **en avoir beaucoup :**
vous en perdrez énormément, vous devez affronter la vie avec plus de dynamisme

en gagner beaucoup :
vous vous trouverez en face de difficultés imprévues mais faciles à résoudre

en trouver :
vous aurez de la chance au jeu

en perdre :
de bonnes perspectives s'offrent à vous dans les affaires

en prêter :
vous vous trouvez dans une situation très embarrassante

ARGENTERIE, ARGENT **en voir :**
préoccupations, soucis financiers en vue

en trouver :
soyez attentif et prudent dans les affaires

en recevoir en cadeau :
vous aiderez un ami

en vendre :
les richesses seront à vous

ARGILE **la pétrir et la modeler :**
la générosité ne vous fait pas défaut
vous avez des tendances artistiques

ARMEE **en temps de paix :**
honneurs et richesses vous seront dévolus

en temps de guerre :
vous subirez des pertes financières élevées et la honte d'une action commise dans le passé

ARMES **les voir, les détenir ou s'en servir :**
vous aurez des problèmes et vous découvrirez la déloyauté de votre famille ou d'amis qui vous sont chers

se servir d'une arme blanche :
vous serez tourmenté par des doutes

les rompre :
vous serez impuissant contre vos ennemis

se servir d'une arme à feu (et se blesser) :
vous aurez des problèmes avec votre famille et vous devrez renoncer à une chose à laquelle vous êtes attaché

ARMOIRE **la voir :**
vous découvrirez des intrigues

armoire-penderie et armoire à linge :
réussite et fortune en amour

l'acheter :
chance dans le domaine financier

vide :
luxure

ARMOIRIES **les voir :**
vous serez honoré et estimé comme quelqu'un d'important

AROMES **les sentir et les utiliser :**
vous atteindrez une position élevée

ARRETER **être arrêté :**
vous subirez un outrage publique

assister à l'arrestation d'une personne :
vous souffrez d'un complexe de culpabilité à cause d'une mauvaise action commise depuis longtemps

ARROSER **un pré :**
le travail que vous êtes en train d'effectuer actuellement portera bientôt ses fruits

fleurs, plantes, légumes :
vous allez bientôt goûter aux joies et aux plaisirs de la vie que vous méritez

quelque chose :
votre travail se révélera très fructueux d'ici peu

ASCENSEUR **le prendre :**
vous êtes à bout de forces : vous devez prendre du repos

ASSASSINER (voir **Morts et Tuer**)

ASSIETTES **les voir :**
vous serez bientôt invité à une fête

les casser :
vous devrez surmonter un moment triste et difficile

ASSIETTE CREUSE **la voir :**
votre avenir sera toujours assuré

la casser :
vous devez être plus prévoyant et moins impulsif, vous pourriez vous trouver dans de graves difficultés financières

pleine :
richesse, aisance

la remplir :
vos affaires iront en s'améliorant

vide :
vous traversez une période difficile

ASTROLOGUE **aller en voir un :**
il vous arrivera ce que celui-ci vous aura prédit en rêve

être un astrologue :
vous acquerrez de l'expérience et des richesses

ATHLETE **le voir :**
vos efforts seront récompensés, vous aurez du succès

ATLAS **le feuilleter :**
vous ferez un voyage imprévu

ATTENTAT **assister :**
un événement grave changera du tout au tout le cours de votre existence

AUBE **y assister :**
vous êtes chanceux, votre avenir sera prospère et vous vous marierez

AUMONE **la faire :**
vous serez très heureux

la recevoir :
vous prendrez un emploi secondaire

AUTEL **le voir :**
vous trouverez bientôt la voie à suivre. Vous vous marierez

le décorer de fleurs :
mariage proche

y voir des personnes agenouillées :
vous devrez offrir votre aide à quelqu'un qui en a besoin

AUTOGRAPHE **le lire :**
persevérance, abondance

AUTOMNE **le voir**
vous recevrez une somme d'argent inespérée

AUTORITE **voir une personne importante :**
une personne intelligente et puissante vous viendra en aide lors d'un moment délicat

AVALANCHE **la voir :**
attention à un danger qui vous menace

être emporté :
vous êtes l'objet de passions malsaines qui entraîneront votre ruine et celle de votre famille

AVANT-SCENE **se trouver sur une scène :**
vous recevrez de mauvaises nouvelles. Embêtements

la voir :
malchance, tristesse

AVENTURE vous êtes en danger

AVION **rêver de voler :**
vous êtes ambitieux et vous deviendrez puissant

piloter un avion et avoir peur :
vous êtes inconstant

voir une multitude d'avions dans le ciel :
vous avez tendance au commandement

le voir à terre :
disgrâce prochaine

AVOCAT **parler avec un avocat :**
vous devrez affronter de graves préoccupations d'ordre économique

être un avocat :
vous porterez préjudice à quelqu'un

B

BAGAGES **les voir :**
vous partirez bientôt en voyage

BAGUE **la recevoir :**
vous recevrez une demande en mariage

en porter une très étrange ou en forme de serpent :
vos relations sentimentales sont précaires : trahison

la trouver :
vous vous disputerez avec quelqu'un

en ivoire :
vous guérirez rapidement

cachet monté en bague (sceau) :
vous avez un ami fidèle

la casser :
dispute avec quelqu'un, suivie d'une rupture

BAIE **la voir :**
bon nombre de vos désirs sont encore insatisfaits

BAIES **les trouver :**
vous gagnerez de l'argent sans trop vous fatiguer

les chercher :
vous devrez surmonter des obstacles

les manger :
maladie bénigne, querelle en famille

BAIGNER (SE) **dans une eau transparente :**
vous avez beaucoup d'amis et vous êtes loyal

dans une eau trouble :
vous avez beaucoup de soucis

dans l'eau courante :
il vous arrivera quelque chose de désagréable

dans la baignoire :
attention à une maladie

en plein air :
vous vous marierez bientôt avec une personne riche et importante

dans l'eau froide :
vous souffrirez d'un léger malaise

dans l'eau chaude :
vous mènerez une vie aisée

tout habillé :
vous ferez un héritage

dans un fleuve :
vous aurez la force nécessaire pour résister à l'adversité

BAIGNEUR **solitaire :**
vous êtes mécontent et insatisfait

en voir plusieurs :
vous allez au devant d'une période de joie et de gaieté

voir un enfant en train de se baigner :
vous aurez un enfant

BAIGNOIRE **la voir :**
vérifiez votre état de santé : maladie bénigne

prendre son bain :
joie et sérénité

BAILLON **le porter :**
vous avez un procès ou une cause en cours

BALANCE **être pesé :**
vous serez jugé par l'opinion publique qui reconnaîtra vos mérites. Vous en tirerez profit

BALANÇOIRE **vous y balancer :**
vous avez quelques ennuis avec la loi mais dans l'ensemble vous traversez une période heureuse

la voir immobile :
vous aurez une joie de brève durée

BALAYER **balayer sa maison :**
vous recevrez de bonnes nouvelles

balayer la rue :
le chemin du succès sera pour vous lent et laborieux mais à la fin vous parviendrez au résultat souhaité

BALCON **le voir fleuri :**
vous recevrez des honneurs qui ne dureront guère

être au balcon :
une entreprise que vous désiriez effectuer sera vouée à l'échec

BALDAQUIN **l'avoir au-dessus de son lit :**
vous jouissez de la protection de personnages influents

BALLE

jouer avec :
vous perdez du temps et cela n'arrange pas vos affaires, cela ralentit votre travail
soyez plus dynamique et plus rapide dans vos décisions

la voir s'envoler :
vos désirs relèvent de l'utopie. Ayez les pieds sur terre

boulet de canon :
vous avez échappé à un grave danger

montgolfière :
votre travail sera couronné de succès même s'il vous faut affronter de nouvelles responsabilités

BANANE

la manger :
vous êtes avide à tout point de vue

BANC

s'asseoir sur un banc en bois :
vos gains seront modestes mais vous préférez la tranquillité

s'asseoir sur un banc de pierre :
vous gagnerez beaucoup d'argent, vous manquez de sérénité. Méditez un peu plus

le voir de loin :
un amour romantique vous attend

BANDAGE

se l'appliquer ou le porter :
vous devrez renoncer à vos propres désirs

BANDE

bander un enfant :
vous aurez beaucoup d'enfants

appliquer un bandage :
vous aurez beaucoup de chance

BANDIT

être assailli par un bandit :
attention à un danger. Vous aurez très peur

BANQUE **y toucher de l'argent :**
vous perdrez de l'argent

y déposer de l'argent :
vous êtes indécis en ce qui concerne votre travail, vous ne savez pas quelle tactique adopter il est possible que vous souffriez de l'estomac

BANQUET **y prendre part :**
dispute en famille s'il a lieu chez soi ; autrement il indique une perte de caractère financier

BAPTEME **être baptisé :**
un changement avantageux se produira dans vos affaires

BARAQUE **la voir :**
des peines ne tarderont pas à vous affliger

BARBE **l'avoir touffue :**
vous serez estimé et honoré

rasée :
la tristesse et les peines vous accablent

vue par une femme :
un changement marquera votre vie. Si vous êtes mariée vous vous séparerez, si vous êtes célibataire vous vous marierez, si vous n'avez pas encore d'enfants vous accoucherez d'un garçon

si elle tombe ou est arrachée ou rasée :
une disgrâce surviendra. Quelqu'un de votre famille mourra

BARBIER **le voir :**
malheur et commérages

se faire raser :
on vous dupera

BARQUE **rêver d'y ramer :**
vous aurez un travail avantageux

aller sur une barque à moteur :
l'aisance et la richesse vous seront acquises

BARRAGE **le voir :**
vous devrez surmonter des difficultés

y travailler :
vos entreprises seront vouées au succès

le franchir :
mort d'un de vos amis

BARRIERE **la voir en face de soi :**
vous devrez surmonter un bon nombre d'obstacles

la sauter :
votre zèle et votre constance vous permettront d'aplanir toutes les difficultés que vous devez affronter

cassée :
pertes d'argent

BATON **le tenir dans la main :**
la tristesse et les peines seront votre lot. Méfiez-vous de quelqu'un qui fait partie de votre entourage

s'y appuyer :
faiblesse, maladie bénigne

battre une personne :
vous obtiendrez un avantage

le trouver :
un ennemi aura le dessus

BATTRE **quelque chose avec un objet contondant :**
vous jouerez de malchance dans les affaires : vous devez agir avec plus de volonté

être battu :
vous serez mortifié

la mesure :
vous assumerez une fonction dans laquelle vous exercerez le commandement

BATTRE (SE) la situation est incertaine et difficile

BAUME (l'appliquer) :
dans le rêve d'un malade :
vous guérirez vite

dans le rêve d'une personne en bonne santé :
un de vos désirs se réalisera

BECHER **un champ :**
vous êtes un travailleur infatigable. Votre caractère entreprenant et prompt à la décision vous permettra de satisfaire un de vos plus chers désirs

BEGAYER vous devrez résoudre une situation en prenant des décisions définitives

BELETTE **la voir :**
vous tomberez amoureux d'une prostituée ou d'une femme de mœurs faciles

la capturer :
vous aurez des gains faciles

BELIER vous vous entêtez et vous restez inébranlable dans vos opinions. Soyez plus souple, vous n'avez pas toujours raison

BELLE-MERE **la voir :**
vous ferez un voyage

subir une offense de la part de sa belle-mère :
vous devrez vaincre des obstacles et l'adversité

la voir aimable et cordiale :
vous nourrissez de vaines espérances. Quelqu'un cessera de vous aimer

BENIR **être béni par ses parents :**
vos affaires sont bonnes et vous serez entouré d'affection par votre famille

être béni par le pape :
vous hériterez bientôt

être béni dans une église :
la chance vous sourira

BEQUILLES **les voir :**
vous manquez de sérénité. Vous nécessitez de l'appui d'une personne amie

les casser :
vous aurez finalement de la chance

marcher en vous aidant de béquilles :
votre travail s'améliorera énormément
profit appréciable et confiance dans le futur

BERCEAU **le voir tandis qu'il est balancé :**
vos espérances seront réalisées
si vous êtes encore célibataire, vous vous marierez
si vous êtes déjà marié, vous aurez des enfants

BERGE (voir **Rive**)

BERGER **être berger et conduire le troupeau :**
de grandes joies familiales vous attendent. Vous bénéficierez de gains petits mais satisfaisants

BERGERIE **la voir :**
vous vivrez dans l'aisance

BETES (voir **Animaux**)

voir des bêtes féroces :
vous êtes entouré de gens envieux et perfides

être menacé par des bêtes féroces :
vous courez un grave danger

BEURRE **le manger :**
vous vous disputerez avec un ami

le voir :
le succès et une vie aisée vous sont destinés

l'acheter :
vous êtes très généreux

BIBLE **la lire :**
l'avenir vous réserve des chagrins en famille et des problèmes à résoudre

BIBLIOTHEQUE **la voir :**
vous avez besoin d'être conseillé par une personne compétente

la posséder :
vous êtes persévérant et vous rejoindrez le but que vous vous êtes fixé

BIERE **la voir :**
espérance, vous entrerez en possession d'un héritage

être couché dedans :
vous aurez un changement d'activité très agréable

la voir fermée :
vous aurez une longue vie

y mettre un cadavre :
vous ferez une triste expérience. Quelqu'un de votre connaissance mourra

BIERE **la boire :**
vous fréquentez des amis dénués de scrupules

la verser :
vous trouvez tout le monde antipathique

brune :
vous serez largement récompensé pécuniairement

blonde :
vous recevrez une lettre

BIJOUX **les voir :**
signe de chance, vous recevrez de riches cadeaux mais gardez-vous des flatteurs

les porter :
vous êtes tenu en grande estime par la société

en or avec des pierres précieuses :
richesses, dons

sans pierres :
vous serez trompé

en ambre ou en ivoire :
dans le rêve d'une femme : chance
dans le rêve d'un homme : malchance

BILLARD **y jouer :**
vous gagnerez un peu au jeu mais vous perdrez bien davantage ailleurs

BILLET **le voir :**
vous gagnerez à la loterie

le lire :
vous êtes très curieux

le recevoir :
vous recevrez des nouvelles d'une personne qui se trouve au loin

l'écrire :
vous ferez un petit voyage

BISCUITS **les manger :**
vous êtes optimiste et très gourmand

BLE **voir un champ de blé :**
la chance vous suivra longtemps

coupé ou récolté :
richesse et abondance

BLESSER **être blessé à une partie du corps :**
vous aurez des ennuis, des peines et des soucis

voir une plaie ouverte :
si elle se ferme aussitôt : les soucis, les dangers et

les ennuis ne tarderont pas à disparaître, autrement les désagréments se prolongeront encore un peu

quelqu'un :
vous ferez de la peine à quelqu'un

être blessé au cœur ou à la poitrine :
vous êtes amoureux dans le rêve d'une personne âgée : mélancolie

BLEUS **se faire des bleus :**
soyez plus calme autrement vous vous nuirez

BŒUFS **les voir attachés à une charrue :**
chance, influence

en train de labourer ou de travailler :
richesse, bien-être

en voir un troupeau :
vous serez menacé, médisances

maigres :
famine, pauvreté

gras :
chance, richesse

les voir en train de paître :
vous avez beaucoup de problèmes, vous êtes triste

BOHEMIENS **devant la porte de chez soi :**
on abusera de votre confiance

les voir dans la rue :
signe de bon augure

BOIRE **de l'eau limpide et fraîche :**
santé, vigueur

de l'eau chaude :
maladie

du vin :
chance, bonheur, amour

de l'huile :
maladie

avoir soif et ne pas pouvoir boire :
vous vous trouverez au milieu de difficultés financières

dans des vases en or, en argent ou en terre cuite :
richesse et aisance vous seront assurées

dans des vases en verre très fragiles :
vous aurez d'immenses difficultés à surmonter

BOIS **se promener dans un bois dense plein de fraîcheur :**
vous ferez de bonnes affaires et une richesse inattendue vous sera acquise

s'y perdre :
vous avez des discussions inutiles

y rencontrer des êtres ou des animaux étranges :
vous vous fatiguez en vain

BOIS **toucher du bois ou transporter des objets en bois :**
vous réaliserez vos projets grâce à des amis influents

vermoulu :
des amis infidèles vous porteront à la ruine

BOISSON **sucrée, la boire :**
vous êtes gai et optimiste

amère :
vous aurez une maladie bénigne

BOITE **la voir :**
vous vous assurerez bientôt un gros profit matériel

l'ouvrir :
aventure amoureuse, bonheur

la fermer :
vous désirez mettre un frein aux sorties. Vous êtes jaloux et possessif

BOITER **se voir en train de boiter :**
des chagrins et des litiges sont prévus

voir quelqu'un :
vous vous trouverez dans une situation embarrassante

BOMBE **la voir éclater :**
vous serez séparé des personnes et des choses qui vous sont chères. Malchance

pour un militaire, la voir :
chance, il montera en grade

BOSSU **le voir :**
la fortune vous favorisera à l'improviste et la prospérité entrera dans votre famille

se voir bossu :
la chance vous sourira

BOTTES **trouées :**
vous atteindrez finalement une position sociale élevée et stable

avec des talons hauts :
votre position sera encore plus élevée

les nettoyer :
vous êtes un travailleur infatigable et c'est la raison pour laquelle vous irez loin

BOUCHE **qui parle :**
vous dilapiderez votre patrimoine et vos richesses votre conduite est trop instinctive, contrôlez-vous

fermée et ne pouvant s'ouvrir :
vous courez un très grave danger

BOUCHER **l'être :**
vos ennuis finiront

le voir :
vous serez offensé et injurié

BOUCLES **les avoir :**
vous vivez un amour véritable. Fidélité et joie

les voir :
vous recevrez des nouvelles d'une personne que vous avez aimée

les couper :
amour exclusif

les perdre :
vous romprez avec votre partenaire

les recevoir en cadeau :
cela annonce le début d'un amour heureux

les offrir :
vous déclarerez votre amour à une autre personne

BOUCLES D'OREILLES **les voir :**
vous aurez bientôt des difficultés d'ordre financier

les porter :
vous serez mis au courant d'une chose tenue secrète

les casser :
vous trahirez la personne aimée (ou vice versa)

BOUCLIER **s'en servir :**
vous êtes timoré et renfermé et cela vous causera des chagrins
solitude

le voir :
vous êtes à l'abri des commérages et des difficultés

BOUE **y marcher :**
vous devez faire face à de graves ennuis
vous avez été irrité par des ragots qu'on a faits sur vous

y tomber :
attention à un danger

BOUGIE **avec une petite flamme mais claire :**
vous serez finalement récompensé de votre travail honnête

avec une grande flamme fumeuse :
vous tomberez malade. Vous vous surestimez et vous désirez trop être le point de mire

l'éteindre :
quelqu'un mourra

BOUILLIR **voir quelque chose bouillir :**
un événement imprévu changera le cours de votre vie

BOUILLON **le boire :**
vous conclurez des affaires avantageuses. Si vous êtes lié sentimentalement à quelqu'un, vous ne tarderez pas à l'épouser

BOULEAUX **les voir :**
vous serez puni pour une action que vous avez commise depuis longtemps

BOURREAU **le voir :**
misère et affliction

BOUSSOLE **marcher en s'en servant :**
vous devez demander conseil à une personne experte (avocat, ami fidèle, personne âgée)

BOUTEILLE **la casser :**
un parent riche mourra

entière :
vous êtes insatisfait

la voir cassée :
deuil et gros héritage

la remplir :
vous trouverez un travail intéressant au point de vue financier

BOUTON **le coudre :**
vous avez des ennuis passagers avec des amis

le voir :
vous avez de mauvaises fréquentations

BOUTONS **de fleurs :**
un nouvel amour est sur le point de naître

de roses :
vous aurez beaucoup de chance dans le domaine affectif

BOYAUX **les voir :**
de désagréables expériences vous attendent

BRACELET **le porter :**
union sentimentale. Si vous n'êtes pas encore marié, les noces sont proches

BRANCARD **y être transporté :**
faiblesse ; attention aux accidents

BRANCHES **sèches :**
vous serez victime d'une disgrâce

vertes :
nouvel amour. Bonheur et plénitude spirituelle. C'est un présage de force et de puissance

BRIDE **mettre la bride au cheval :**
vous annulez la malignité de vos ennemis

BROCANTEUR **le voir ou l'être :**
d'excellentes affaires s'annoncent. Vous atteindrez une position sociale élevée

BROCHE (à la) **la voir, en être piqué ou blessé :**
une personne déloyale veut vous tromper

BROCHE **se l'épingler :**
on vous chargera d'une fonction très avantageuse

se la voir épingler :
quelqu'un vous blessera dans votre amour propre

BRODER **quelque chose :**
de petites choses inutiles seront source de satisfaction pour vous
soyez plus sérieux et honnête dans votre travail

porter des vêtements brodés :
fortune conquise par des expédients de toute sorte
vous êtes trop ambitieux

BROSSER **des vêtements :**
vous ressentez une grande tristesse. Vous avez rompu avec la personne aimée. L'insatisfaction et le mécontentement qui caractérisent votre comportement sont à l'origine de cette rupture. Vous vous êtes désintéressé de votre partenaire

BROUILLARD **vous y perdre :**
vous manquez de confiance en vous et vous vous sentez sans défense
vous êtes triste et angoissé
vous aurez du mal à résoudre un problème

le voir se dissiper :
la situation s'améliorera

le voir arriver :
vous vous occupez des affaires des autres. Vous trempez dans des affaires louches et illégales

BRULER **voir brûler quelque chose :**
ardeur, bonheur, gaieté

voir brûler quelqu'un :
des affaires dangereuses et embrouillées vous feront vivre dans l'inquiétude

être brûlé :
amour ardent
ne soyez pas trop impulsif ou vous risqueriez de le regretter amèrement

BUCHER **le voir :**
vous êtes effronté, c'est pourquoi vous êtes mal vu de tout le monde

se voir sur le bûcher :
soyez plus réfléchi car vous pourriez commettre des erreurs que vous regretteriez toute votre vie

BUFFLE **le voir :**
vous gagnerez au jeu. A vous les richesses, les gros gains

BUISSON **le voir :**
vous vaincrez un obstacle

épineux :
vous êtes pessimiste

avec des fruits :
vous savez apprécier la vie et vous voyez toujours le bon côté des choses

le contourner :
vous cherchez toujours la voie la plus facile pour résoudre un problème

le franchir :
vous affrontez les problèmes

BUREAU **s'y trouver :**
vous recevrez une mauvaise nouvelle

C

CABANE **la voir :**
vous n'atteindrez jamais une position élevée dans le monde des affaires, mais votre vie se déroulera dans le calme et la sérénité

s'y mettre à l'abri :
au bout de nombreuses peines vous trouverez finalement la paix et la sérénité

CABINET **le voir :**
la personne que vous aimez vous portera chance. Vous vivez un grand amour

y dormir :
la puissance et la célébrité vous sont destinées

CABLE **le voir :**
vos affaires ralentiront

le couper :
vous porterez préjudice à quelqu'un

y monter :
vous suivez la mauvaise route

CABRIOLET **être transporté :**
vous êtes tout près du succès

CACAO **le manger :**
vous possédez une âme noble et un caractère agressif

CACHER **quelque chose :**
vous êtes une personne avare et déloyale

se cacher :
vous vous trouvez dans une situation dangereuse et désagréable et vous ne savez pas comment vous en sortir. Vous devez réagir avec plus d'énergie et de fermeté et ne pas vous abandonner à la mélancolie

CADAVRE **le voir :**
vous vous marierez bientôt

le voir avec un air courroucé :
vous aurez le dessus sur un de vos ennemis

en décomposition :
vous aurez de nombreux obstacles à vaincre

embaumé :
vous recevrez de mauvaises nouvelles

CADEAU **le faire :**
c'est par l'ingratitude que vous serez remercié de votre aide
ne précipitez pas les choses

le recevoir :
votre situation financière s'améliorera considérablement

CADRAN **d'une montre :**
vous êtes paresseux et vous essayez de gagner du temps

CAFARDS **les voir :**
contrôlez votre santé, il est possible que vous souffriez d'une grave maladie

les prendre :
vous traversez une période heureuse et fortunée

dans son lit :
vous serez injustement calomnié

CAFE **le boire :**
vous trouverez une affection profonde et durable

le voir :
quelqu'un dit du mal de vous

le renverser :
un fâcheux contretemps surviendra

CAGE **en être prisonnier :**
vous devrez affronter de gros obstacles, quelqu'un médit de vous

avec des oiseaux :
vous aurez des problèmes en famille

avec des animaux féroces :
vous rendrez un de vos ennemis inoffensif

voir s'en échapper les animaux qui y sont enfermés :
vous êtes en danger, quelqu'un veut vous faire du mal

CAHIER **le voir :**
vous subirez des affronts de la part d'amis à cause de votre caractère faible

CAILLES **les voir :**
de lointains parents vous annonceront quelque chose

les manger :
abondance

CAISSE **de mort :**
(voir **Bière**)

en bois :
si elle est pleine et ouverte : vous avez été trahi

ouvrir une caisse pleine :
vous deviendrez très riche

ouvrir une caisse vide :
vous perdrez de l'argent : votre avenir ne s'annonce pas des plus roses sur le plan financier

CALCULER vous avez des problèmes d'argent, vous avez dû faire face ces derniers temps à de grosses dépenses et maintenant vous vous trouvez dans un embarras extrême

CALENDRIER vous arriverez très loin même si pendant longtemps les fins de mois sont terriblement difficiles pécuniairement parlant. Si vous faites preuve de ténacité, vous sortirez de cette situation, vainqueur et riche

CALICE **y boire :**
dans le rêve d'un malade : la guérison est prochaine
dans le rêve d'un bien-portant : vous aurez beaucoup de chance dans les affaires

le remplir de vin :
votre vie sera prospère et heureuse

CALOMNIER **quelqu'un :**
soyez plus discret et respectueux même si vous avez été offensé

être calomnié :
quelqu'un qui vous hait vous calomniera publiquement

CALS **les voir :**
un grand malheur surviendra dans votre famille

CALVITIE **être chauve :**
vous perdrez un ami très cher
héritage

CAMOMILLE **la boire :**
une maladie bénigne

CAMP **militaire :**
s'il est vide : un changement surviendra dans votre vie
s'il s'y trouve des soldats : obstacle, malchance

CANARD **le voir voler :**
vous vous réconcilierez avec un ennemi et vous passerez des moments agréables

sauvage :
vous vous lierez d'amitié avec des femmes de rien du tout et avec des prostituées

domestique :
vous aurez une amitié durable avec une femme honnête et sage

le prendre :
vous arriverez à conclure une affaire importante

le manger :
amusements

CANARI **le voir :**
vous nouerez de nouveaux liens d'amitié

l'entendre gazouiller :
vous êtes entouré de flatteurs

CANDELABRE **le voir :**
ne vous fiez pas à votre entourage. Comptez seulement sur vous-même et vous atteindrez le but que vous vous êtes fixé

CANDIDAT **l'être :**
vous réaliserez ce que vous voulez

le voir :
vous êtes arrivé où vous vouliez

CANNE **la voir dans l'eau :**
vous êtes un peu indécis, soyez un peu moins superficiel et prenez vos responsabilités

la voir par terre ou être assis à côté :
votre vie sera heureuse et prospère

pliée par le vent :
vous vous laissez trop influencer par votre entourage

à pêche :
gain d'argent inespéré

à sucre :
abondance, bonheur

CANON **le manipuler :**
vous serez vivement contrarié dans vos espérances

le voir :
prêtez attention pour éviter un danger

CAPRES **les manger :**
vous recevrez une mauvaise nouvelle

CARAVANE **la voir :**
vous ferez un long voyage avec votre famille
vous vaincrez des obstacles

CARDINAL **le voir :**
si vous n'êtes pas encore marié, vos noces sont proches
si vous avez déjà un mari, de grandes joies familiales s'annoncent à vous

CARNAVAL **le fêter :**
vous êtes trop superficiel. Engagez-vous à fond à l'avenir ou la situation empirera

CAROTTES **d'une vilaine couleur :**
vous serez contrarié

les manger :
vous êtes heureux et optimiste et c'est ainsi que sera votre avenir

les acheter :
vous ne pensez pas assez à votre famille. Attention !

les cuire après les avoir coupées :
vous vous séparerez et la responsabilité vous incombera en grande part

CARREFOUR **le voir :**
vous vous trouvez dans une situation embarassante et vous ne savez pas quoi faire

CARTE POSTALE **la recevoir :**
quelqu'un pense à vous et vous aime

CARTES (de jeu) **jouer aux cartes :**
vous avez engagé des dépenses inutiles
vous perdrez de l'argent, vous serez vulgairement dupé
soyez en garde contre un voleur

CATASTROPHE **la vivre :**
votre vie subira un changement radical
votre futur est entre vos mains et la voie, bonne ou mauvaise, que vous choisirez dépendra exclusivement de vous
ne vous laissez ni dépasser ni impressionner par les événements

CATHEDRALE **la voir :**
quelqu'un vous demandera de l'épouser : votre avenir s'annonce prospère et heureux

s'y trouver :
des moments difficiles se préparent mais une personne amie vous tendra la main

CAVALIER **le voir galoper :**
vous êtes sur le chemin du succès

	le voir tomber de cheval : un revers de fortune et de grosses pertes vous attendent
CAVE	**la voir :** danger
	y être et ne pouvoir en sortir : vous tomberez malade
	y voir quelqu'un : même si quelqu'un vous hait et veut vous mettre des bâtons dans les roues, il n'y réussira pas
CAVERNE	**s'y trouver :** une personne amie vous abandonnera
	s'y réfugier parce qu'on est poursuivi : vous êtes angoissé. Relaxez-vous car personne ne veut vous faire du mal
CECITE	**être aveugle :** vous éprouverez une grande douleur
CEINTURE	**la voir, la porter :** chance, gaieté
	la trouver : vous deviendrez de plus en plus influent
	la perdre : vous avez laissé échapper une très bonne occasion
	en or ou très précieuse : mariage heureux
CELERI	**le manger :** faites attention à votre état de santé, maladie bénigne
	l'acheter : début d'un nouvel amour vous éprouverez une attraction physique pour une personne que vous connaissez depuis peu

CELIBATAIRE **en voir un âgé :**
vous êtes insatisfait de votre situation affective actuelle

l'être :
une grande joie vous attend
chance en amour

CENDRE **la voir et la recueillir :**
il y aura un deuil dans votre famille. Gros héritage

marcher dessus :
vous êtes avide et sans scrupules

CERCLE **être enfermé dans un cercle :**
on vous demandera de l'argent avec beaucoup d'insistance

CEREALES **en voir une grande quantité :**
votre avenir s'annonce riche et prospère

en voir une petite quantité :
vous avez de très petits moyens

CERF **le voir :**
vous aurez une bonne situation

le posséder :
disgrâce, trouble

le tuer, le capturer :
honneurs et distinctions vous seront décernés

le voir courir :
vous arriverez très vite à vivre dans l'aisance

CERF-VOLANT **le voir s'élever en l'air :**
votre avenir s'annonce prospère

le voir descendre :
vous devrez affronter une situation difficile

CERISES **les manger :**
vous serez tout à coup éperdument amoureux. Attention car il pourrait s'agir d'un feu de paille insensé et dangereux

CHAINES **être enchaîné :**
tristesse, souffrance, solitude
vous n'avez pas encore trouvé l'âme sœur
vos rapports amoureux ne sont plus une source de satisfaction pour vous

rompre les chaînes :
vous arriverez à vous libérer d'un lien qui vous pèse et c'est avec une nouvelle force et vigueur que vous avancerez dans la voie du progrès et de la maturité

CHAISE **la voir :**
vous avez besoin de repos

s'y asseoir :
des vacances agréables vous attendent

CHAMEAU **le voir :**
vous devrez effectuer un travail très fatigant et désagréable

en voir beaucoup :
vous achèterez des choses de valeur

CHAMP **le voir :**
vous êtes plein de force et de vigueur

le cultiver :
vous recevrez une demande en mariage. Si vous êtes encore sans enfant, vous en aurez

inculte :
une agréable surprise vous attend

vert :
on vous proposera une excellente affaire. Profitez-en !

de bataille :
vous vous disputerez avec quelqu'un

cimetière :
vous tomberez malade

CHAMPIGNONS **les voir, les ramasser, les manger :**
votre carrière sera hérissée de complications et d'ennuis mais à la fin vous serez récompensé soyez persévérant

CHANTEUR **l'être :**
joies, chance et gaieté vous attendent

qui chante des chansons obscènes :
attention à une disgrâce possible

chanter pendant qu'on prend son bain :
l'entreprise que vous aviez projetée est vouée à la malchance

CHANTIER **le voir :**
ne visez pas trop haut, recommencez tout depuis le début et progressez à petits pas

naval :
un de vos projets deviendra irréalisable

CHAPEAU **le porter :**
vous ferez un voyage

d'allure militaire :
vous avez des problèmes à caractère juridique

le perdre ou en être privé :
vous perdrez une occasion importante

l'ôter :
vous prenez la vie du bon côté, avec gaieté et optimisme

en voir un grand nombre :
vous avez beaucoup d'amis et vous êtes sociable

CHAPELET **le voir :**
brève maladie

le réciter :
deuil dans la famille

CHAPELLE **la voir :**
vous aurez bientôt un ami fidèle

CHARBONNIER vous obtiendrez la réalisation de vos désirs et vous aurez beaucoup de chance

CHARGE **voir une charrette chargée :**
arrivée imminente d'amis

chargement d'un navire :
quelqu'un vous recherchera
joie et gaieté avec des amis

CHARRETTE **devoir la tirer :**
vous faites d'immenses efforts et la situation commence à vous peser. Une perte d'ordre financier est possible
ménagez-vous et faites attention à votre santé ; cette situation peut vous mener à la dépression nerveuse mais si vous résistez, vous en sortirez vainqueur

y être transporté :
vos enfants iront très loin
les conditions sont défavorables en ce moment pour un voyage
retard

CHARRUE **s'en servir :**
vos enfants reviendront de voyage. Si vous êtes séparé ou divorcé vous reprendrez la vie commune

la voir :
ralentissement dans le travail. Les noces et les naissances sont favorisées

CHASSE **y participer :**
vous aurez du succès mais auparavant vous devrez vaincre obstacles et des calomnies

y être invité :
vous aurez de la chance au jeu, mais de la malchance dans les autres domaines

grosse chasse :
vous devrez affronter des situations difficiles mais intéressantes du point de vue économique

instruments de chasse (les voir) :
vous retrouverez une personne que vous cherchiez depuis longtemps

CHASSEUR **l'être :**
vous êtes trop agressif et vous vous mêlez des affaires des autres
vous avez de la chance mais ne la défiez pas

CHAT **en voir un noir :**
perfidie, trahison masquée par de belles paroles

se battre contre un chat, le griffer, le mordre :
faites attention à un voleur et luttez de toutes vos forces contre lui

le caresser :
vous brûlez d'un amour ardent

le voir :
vous êtes doté d'un caractère trop agressif
vous courez un danger

en être mordu ou griffé :
un gros problème vous attend

le nourrir :
vous tromperez votre conjoint

le tuer :
vous vous libérerez d'une personne infidèle et déloyale

l'entendre miauler :
quelque chose de désagréable vous arrivera

CHATAIGNIER **voir l'arbre :**
vos projets se réaliseront si vous agissez avec rapidité

en manger les fruits :
vous serez très heureux et vous aurez de la chance

CHATEAU **se promener dans les ruines :**
honneurs et reconnaissances vous seront décernés. Des envieux vous calomnieront

s'y trouver :
vous aurez une aventure inattendue et dangereuse, néanmoins vous en sortirez indemne et satisfait

fermé :
il vous faudra vaincre un gros obstacle

le posséder :
vous vivrez dans l'aisance

CHATOUILLEMENT (voir **Démangeaison**)

CHAUSSEE RETRECIE **avoir de la peine à la traverser :**
votre carrière et votre salaire bénéficieront d'une légère amélioration

CHAUSSETTES **trouées :**
vous avez des problèmes économiques : soyez plus économe

les voir :
vous êtes rempli de préjugés sur les gens et sur les choses

se les enlever :
vous vivrez beaucoup plus serein et heureux une fois libéré d'un tas d'idées préconçues

CHAUSSURES **en porter une paire usée :**
une période difficile vous attend dans votre travail mais vous réussirez à atteindre la position tant désirée

marcher dans la boue avec des chaussures inadéquates :
vous vivrez dans la misère la plus noire pendant quelque temps

les porter trop petites :
difficultés économiques : vous vous êtes comporté d'une manière trop inconsidérée et infantile dans votre travail et maintenant vous en payez les conséquences

CHAUVE-SOURIS **la voir voler chez soi :**
chagrins, tristesse

la voir :
ralentissement dans votre activité. Reportez un voyage si vous l'avez programmé

la prendre :
vous vous disputerez avec quelqu'un

CHAUX **la voir :**
grosses dépenses en vue. Soyez prudent dans une affaire précaire
il se peut que vous fassiez un petit voyage

CHEF **voir son chef :**
vous changerez de situation et par conséquent de chef

être le chef :
vous aurez beaucoup de problèmes à résoudre

militaire (le voir) :
guerre

CHEMIN DE FER **le voir :**
avancement dans votre travail

y aller :
hâtez-vous de résoudre une situation en suspens qui ne peut plus durer

CHEMINEE **s'il en sort de la fumée :**
vous laisserez passer une bonne occasion

si le feu y est allumé :
on vous fera une proposition de travail très avantageuse

si le feu y est éteint :
vous serez bientôt sans travail, commencez dès maintenant à chercher un autre emploi

CHEMISE **la voir :**
vous devez encore résoudre un problème resté en suspens

la mettre :
bonheur et chance

la laver :
vous perdrez de l'argent

déchirée :
un de vos projets s'est révélé irréalisable

sale :
quelqu'un rapporte à tout le monde votre conduite qui est loin d'être irréprochable, vous êtes l'objet de médisances justifiées

de nuit :
vous vous marierez bientôt

la faire :
de grandes joies vous sont réservées dans le domaine amoureux

CHENE **le voir :**
richesses et longue vie vous sont données

sec :
vous recevrez de mauvaises nouvelles

l'abattre :
vous êtes courageux

CHERCHER **quelqu'un ou quelque chose :**
vous n'êtes jamais satisfait de ce que vous avez

et vous désirez toujours des choses impossibles à avoir. Soyez plus réaliste et concret

CHEVAL **docile et obéissant :**
vous ferez des profits intéressants, de bonnes ventes et des achats avantageux. Tout va donc à merveille

monter un cheval apeuré qui se cabre :
préparez-vous à des ennuis dans votre travail

mener un troupeau de chevaux sauvages au pâturage :
un dur labeur vous attend mais vous en serez largement récompensé (il se peut aussi que vous subissiez un peu trop l'influence des films westerns)

CHEVEUX **les avoir soignés :**
votre bonne étoile illuminera votre avenir et vous apportera de la joie

les avoir sales et mal peignés :
ennuis, douleurs, offenses

avoir de la laine à la place des cheveux :
longues maladies, peut-être toux

être chauve :
quelque chose de très triste vous arrivera

calvitie partielle derrière la tête :
vous aurez une vieillesse pauvre et un petit malheur

côté droit dégarni :
vous perdrez un parent du sexe masculin

côté gauche dégarni :
votre femme (ou votre mari) mourra

avoir le crâne entièrement rasé :
vous serez victime d'une disgrâce

les perdre :
il arrivera un malheur dans votre famille

CHEVRE **en voir une (blanche ou noire) :**
cela vous portera malchance, un malheur est possible. En voir une blanche signifie néanmoins que le danger est mineur

en voir un grand nombre :
abondance et richesse

bouc :
vous êtes têtu. S'il est doté de cornes, méfiez-vous de vos adversaires

CHEVREUIL **le voir dans un pré :**
vous passerez de bons moments pleins de gaieté

le tuer :
vous n'attribuez aucune valeur à ce que vous avez et vous agissez avant de penser

CHIEN **de chasse :**
c'est un signe de bon augure : vous serez audacieux et vous aurez de la chance

de garde :
votre maison est sûre et protégée. L'harmonie y règne

qui aboie ou mord :
attention à un danger ou à quelque chose de désagréable
des pertes d'argent sont possibles

l'attacher ou lui mettre la muselière :
quelqu'un veut vous voler

caniche ou bâtard :
vous avez un ami en qui vous pouvez avoir confiance et qui vous aidera dans un moment délicat

caresser un chiot :
vous avez de très lourdes responsabilités dans votre vie familiale

CHIENDENT **le voir :**
misère, vous tomberez malade

CHIENNE **la voir :**
vous avez une amie fidèle qui ne vous abandonnera jamais

CHIFFONS **les voir, les ramasser :**
présage d'une immense richesse durement conquise

les acheter :
attention aux mauvaises affaires

les laver :
vous voulez mettre toutes les chances de votre côté pour réussir une affaire qui a l'air difficile

les jeter :
vous êtes un panier percé

CHOUETTE **la voir :**
vous serez délivré de vos craintes sans fondement si vous avez projeté un voyage, vous serez volé et poursuivi par la malchance

si elle entre chez vous :
déménagement. Vous laisserez la maison où vous habitez actuellement

CICATRICES **en voir sur les autres :**
vous éprouvez des remords pour la méchanceté ou le manque de sensibilité dont vous avez fait preuve dans le passé. Vous ne pouvez plus rien y faire désormais, il est donc inutile de penser toujours au passé

en voir sur soi :
vous accueillerez la vieillesse avec sérénité maintenant que vous êtes mûr, trempé et que vous avez surmonté une foule d'obstacles

CIEL **sombre :**
ennuis et problèmes vous attendent

clair et limpide :
la chance et une période heureuse s'annoncent

étoilé :
votre situation actuelle changera radicalement

avec des figures étranges :
vous vivez une période terriblement importante

CIERGE **le voir :**
vous participerez à un baptême

l'acheter :
vous êtes arrivé à résoudre un grave problème

CIGARES **les fumer :**
vous êtes sage, votre vie sera longue

CIGARETTES **les fumer :**
vous possédez une nature aventureuse
vous parviendrez à une bonne position économique

les voir :
vous êtes plein de vitalité et vous aimez faire la noce

CIGOGNE **la voir :**
si vous désirez faire un voyage, le moment est propice
si vous n'êtes pas encore marié, vous convolerez bientôt et vous aurez des enfants

les voir en hiver :
le temps sera pluvieux et il y aura du vent

les voir en été :
le temps sera sec

CILS **épais et longs :**
vous serez très heureux

courts ou inexistants :
quelque chose de très triste vous arrivera. Larmes

CIMETIERE **s'y trouver :**
signe de bon augure
héritage d'un lointain parent

y voir des fantômes :
cela annonce la fin des tourments, de la solitude et de la misère ; vous recevrez l'aide d'une personne amie

CIRE **la mélanger :**
vous formez avec votre partenaire un couple taciturne et généreux, mais très tranquille

la faire fondre :
vous dilapiderez votre patrimoine

CITRONS **les manger :**
l'amour que vous éprouverez engendrera l'amertume

les voir :
vous recevrez une bonne nouvelle

les presser :
vous serez victime d'un incident pénible

CLEFS **les voir :**
si vous voulez vous marier, faites-le car vous serez heureux
en revanche, il vaudrait mieux renvoyer un voyage qui serait voué à la malchance

les perdre :
il y aura des problèmes en famille

les trouver :
vous sortirez avantageusement d'une situation embarrassante

CLOCHER **le voir ou y pénétrer :**
la chance vous favorisera

s'y trouver tout en haut :
votre position sociale est très enviée. Elle sera la

cause d'une querelle avec quelqu'un de votre connaissance

CLOCHES **les entendre sonner :**
un événement inattendu vous causera une grande tristesse

si elles sonnent le soir :
vous aurez une vieillesse tranquille

CLOUER **quelque chose :**
vous serez plein de dettes

voir quelqu'un en train de clouer :
vous serez victime des dettes d'autrui. Perte d'argent

CLOUS **les voir :**
vous recevrez une nouvelle inattendue
un de vos désirs se réalisera

taper dessus :
vous avez pris la bonne décision

CLOWN **le voir :**
tristesse, vous aurez un tas d'embêtements

l'être :
vous souffrez d'un complexe d'infériorité : ne vous sous-estimez pas et ne vous occupez pas des médisances que l'on dit sur vous

COCHON **le voir dans l'étable :**
chance

le nourrir :
vous êtes prévoyant et économe

le tuer :
une période de chance s'ouvre devant vous

sauvage :
quelqu'un veut vous nuire

CŒUR **souffrir :**
quelqu'un s'est mal comporté avec vous. Trahisons

sain :
d'importantes affaires qui avaient été interrompues seront reprises

saignant :
vous serez mortifié et offensé

le couper :
la personne dont vous êtes amoureux vous abandonnera

COGNEE **la voir :**
prédiction de guerres, désordres, révoltes cruelles

abattre quelque chose à l'aide d'une cognée :
vous tirerez joies et profits de votre travail
vous êtes très agressif et passionnel

la tenir dans la main :
présage néfaste

COIFFEUR **le voir :**
quelqu'un fait des ragots sur vous

le voir raser :
vous êtes une personne gaie

le voir couper les cheveux :
vous vivez dans l'oisiveté et vous avez de mauvaises habitudes

COLERE **se mettre en colère :**
vous arriverez à résoudre une situation embrouillée

voir quelqu'un se mettre en colère :
vous avez de mauvaises fréquentations

COLLECTION **de n'importe quel genre :**
vous perdez votre temps. Soyez moins léger, autrement vous en subirez les conséquences :
il peut vous arriver quelque chose de désagréable

COLLER **quelque chose :**
vous présenterez une personne à une autre et cela finira par un mariage

COLLIER **le porter autour du cou :**
de brillants : vous vous faites beaucoup d'illusions
de perles : tristesse, mauvaise humeur

COLOMBE **la voir :**
des événements heureux en famille, du succès
dans les affaires et le début d'un amour profond

COLONNE **la voir :**
un personnage très influent vous aidera

écroulée :
vous avez perdu une amitié valable

COLORER **un dessin ou des étoffes :**
vous manquez de loyauté : vous avez un
penchant pour le mensonge et les intrigues

COMBATTRE **corps à corps :**
vous vous querellerez avec quelqu'un

avec des armes :
vous épouserez quelqu'un d'astucieux et d'intelligent

avec des armes en argent :
vous serez dominé par votre femme qui sera
riche et autoritaire

à cheval :
vous épouserez une femme riche et belle mais
sotte et légère

avec deux épées :
votre femme sera fascinante mais méchante

avec des animaux féroces :
vous tomberez malade
il se peut que vous perdiez des biens

contre des membres de la famille :
malchance, il vous arrivera un grand malheur
dans le rêve d'un malade : folie

contre un supérieur :
vous serez blâmé et traité de façon fort désagréable par celui-ci

COMETE **la voir :**
troubles, angoisses et ennuis économiques

COMMERAGES **les entendre :**
changement de maison ou de pays

les faire :
vous vous comportez d'une manière déloyale et vous perdrez un ami qui vous est cher

COMMERCE **rêver d'être un commerçant :**
vous conclurez de bonnes affaires
richesse, abondance

COMMUNION **la faire :**
malchance, malheur
mort d'un ami cher

COMPASSION **l'éprouver pour quelqu'un :**
une grande joie vous attend

CONCERT **l'écouter :**
joie, gaieté

le diriger :
vous aurez une bonne position et vous serez estimé et honoré

CONDAMNER **être condamné :**
vous sortirez indemne d'une situation dangereuse

condamner quelqu'un :
vous êtes sévère et impitoyable

CONFESSER **se confesser :**
vous êtes finalement tranquille

confesser quelqu'un :
vous serez mis au courant d'une chose gardée secrète jusqu'à présent

CONGELER **quelque chose :**
vous subirez un échec dans un domaine quelconque

CONGRES **y prendre part :**
vous participerez à une manifestation au cours de laquelle on vous décernera un prix

CONNAISSANCE **la voir :**
un de vos désirs secrets sera satisfait

CONSEILLER **quelqu'un :**
vous êtes d'un naturel querelleur et autoritaire

être conseillé :
vous aurez ce que vous méritez

CONSTRUIRE **quelque chose :**
votre carrière sera rapide et brillante

voir construire :
vous déménagerez

voir construire de grands édifices :
vos projets sont grandioses

voir construire de petites maisons :
vos projets sont modestes

CONTE **le raconter :**
vous mentez souvent

l'écouter :
vous pouvez avoir foi en votre bonne étoile : un de vos désirs se réalisera

COPIER **quelque chose :**
vous nourrissez des craintes sans fondement

COQ **qui chante :**
vous serez favorisé d'une manière inattendue dans les affaires

le voir pondre :
événement fâcheux

le prendre :
vous vous disputerez

COQUILLAGES **les voir :**
de lourdes responsabilités pèseront sur vos épaules

les trouver :
vous êtes très embarrassé à cause d'un incident fâcheux

COQUILLE **d'un œuf** (la voir) :
une de vos connaissances mourra

CORAIL **le voir :**
vous éprouverez une grande douleur

CORBEAUX **les voir :**
vous serez infidèle
vous éprouverez des déceptions et de la douleur

les chasser :
vous découvrirez une escroquerie

CORBEILLE **de fleurs :**
joie, gaieté

vide :
amour non réciproque

pleine :
vous aimez et vous êtes aimé

CORDE **la voir :**
vous vous sentez très gêné

longue :
vous réaliserez vos programmes mais avec un grand retard

cassée :
vous serez victime d'une très grave maladie

CORNES **les porter :**
vous aurez une mort violente

les voir :
votre femme (ou votre mari) sera infidèle

CORTEGE **le voir :**
richesses et vie aventureuse

nuptial :
sans le vouloir vous conquerrez une personne

COTON **le voir :**
on entravera vos affaires
vous traversez une période infructueuse
vous ne réussissez ni à profiter des bons côtés de la vie ni à en avoir une agréable

COU **malade :**
vous tomberez malade

être décapité :
vous perdrez un enfant ou une personne qui vous est très chère
dans le rêve d'un condamné à mort : vie

COUDRE **un vêtement quelconque :**
prospérité

se piquer en cousant :
quelqu'un de votre famille se mariera

ne pas terminer un travail commencé :
si vous êtes marié : dispute

COULEURS (voir le chapitre relatif aux couleurs)

COULOIR **long et sombre :**
vous êtes plein de problèmes et vous n'arrivez pas à en trouver la solution

COUPE (voir **Calice**)

COUPER **les doigts :**
deuil en famille, gros ennuis

arbres :
malchance, chagrins

gras ou lard :
deuil

COUPOLE **la voir :**
vous aurez beaucoup de chance dans les affaires

COURBER (SE) **voir quelqu'un courbé :**
vous aurez le dessus dans une situation difficile

se voir courbé :
vous subirez une grosse humiliation

COURGE **la voir :**
vous avez des amis sincères
un de vos enfants vous créera des problèmes et n'arrivera à rien

la manger :
mauvaise santé

COURGETTES **les manger :**
vous êtes avare et opportuniste

COURIR **se voir :**
chance, joie, santé
dans le rêve d'un malade : mort

COURONNE **de fleurs :**
vous éprouverez une joie sereine

la voir :
quelqu'un vous incitera à commettre une action illégale

précieuse :
vous recevrez un gros cadeau

COURONNER **se voir couronné :**
(voir **Idole**)

assister à un couronnement :
joie éphémère

COURRIER **le voir :**
votre situation se stabilisera

COUSSIN **le voir :**
vous êtes bavard et inutile. Parlez moins et à bon escient

COUTEAU **le voir ou s'en servir :**
attention à un danger menaçant

COUVENT **le voir :**
vous nourrissez dans votre cœur un amour secret

s'y rendre :
vous aurez une vieillesse tranquille et sereine

COUVERTURE **la voir :**
un de vos désirs est insatisfait

CRACHER **se voir cracher :**
le succès vous coûtera maintes peines

sur quelqu'un :
vous êtes trop impulsif et autoritaire

CRANE **le voir :**
vous conclurez une bonne affaire

brisé :
vous aurez de graves préoccupations

CRAPAUD **le voir :**
faites attention, vous pourriez courir un grave danger

le tuer :
vous aurez le dessus sur un ennemi

le voir chez soi :
votre bonheur n'est que passager

CRAVATE **la voir :**
vous êtes endetté jusqu'au cou et vous vous trouvez dans une situation désagréable

la nouer :
vous aurez mal à la gorge

en défaire le nœud :
votre mal de gorge guérira

CRAYON **le voir :**
vous devrez faire face à de grosses dépenses

CREDIT **en avoir un :**
vous êtes furieux

si vous êtes harcelé par un créancier :
vous arriverez à surmonter une mauvaise passe

le voir :
vous êtes en train de faire une escroquerie

CREME **la boire :**
vous jouirez d'une excellente santé

la voir :
chance inattendue. Héritage

CRENEAUX **d'une tour :**
s'ils sont réguliers, vous avez le sens de l'esthétique
s'ils sont irréguliers et peu harmonieux : litige et ennuis

CREUSER **se voir creuser :**
vous avez de très bonnes occasions dans le domaine du travail
abondance et vie aisée

CRIER **de façon angoissante :**
vous recevrez une mauvaise nouvelle

entendre crier :
vous serez diffamé

sans émettre de sons :
vous avez peur et vous vivez dans l'insécurité : tranquillisez-vous car vous ne courez aucun danger

CRIME **rêver de commettre un crime :**
vous aurez le dessus sur un de vos ennemis

en être la victime :
tristesse. Attention à quelqu'un qui veut vous duper

CRISTAL **le voir :**
vous ferez la connaissance d'une personne droite et honnête

cristaux de glace :
vous avez affaire à des personnes superficielles et déloyales

CROCHET **le voir :**
des embêtements et des peines vous attendent

l'avoir :
vous êtes dénué de scrupules

l'utiliser :
vous êtes excessivement violent et possessif

CROCODILE **le voir :**
il y a quelqu'un de faux dans votre entourage. Il vous sera fait du mal

CROISEMENT **s'y trouver :**
vous réaliserez votre projet même si cela doit être au bout de nombreuses hésitations

CROISSANT (voir **Lune**)

temps pendant lequel la lune croît :
votre amour est en voie de refroidissement

temps pendant lequel la lune décroît :
vous êtes de plus en plus amoureux

CROIX **du mérite :**
honneurs et reconnaissances vous seront donnés

être crucifié :
un voyage par mer est favorisé
si vous n'êtes pas marié vous le serez bientôt, mais vous ne serez pas heureux

la porter :
quelqu'un jase sur votre compte

la voir portée :
une personne de votre connaissance mourra

dans la rue :
vous recevrez une bonne nouvelle

CROUTE **de pain :**
vous achèterez une ferme

CRUCHE **la voir :**
vous vous fiancerez et vous vous marierez bientôt

CRUSTACES **les voir :**
vous serez trompé par une personne en qui vous avez confiance
tristesse et déception

CUIR **l'acheter :**
vous tomberez malade

le couper :
vous vous disputerez avec quelqu'un

CUIRE **viande ou autre chose :**
vous aurez une longue vie et une bonne santé

CUISINE **la voir :**
vous aurez une longue vie

y faire à manger :
l'harmonie règne en famille

y aller :
quelqu'un fait des ragots sur vous

CUISINIER **le voir chez soi :**
si vous désirez vous marier, la chance est de votre côté : votre mariage sera heureux
dans le rêve d'un malade : la maladie empirera et les souffrances augmenteront

CULOTTE (voir **Slip**)

CYGNES **les voir :**
grande tristesse
dans le rêve d'un malade : guérison rapide

l'entendre chanter :
quelqu'un de proche mourra

CYPRES **le voir :**
vous aurez un deuil en famille

le planter :
la constance ne vous manque pas, mais vous agissez avec lenteur

D

DAHLIAS **en fleurs :**
une grande joie se prépare pour vous

DAMES **jouer aux dames :**
une personne de votre entourage tente de vous nuire et de vous tromper

DANSER **chez soi, entre amis :**
chance, joie

voir danser les époux :
vous serez gai

danser avec un inconnu :
mort d'un de vos parents

si un malade rêve de danser :
son état empirera

si un prisonnier rêve de danser :
il sera libéré sous peu

DATE **la lire :**
il se produira un événement inattendu

DATTES **les voir :**
vous aurez de la chance en amour

lcs manger :
vous recevrez un baiser de la personne que vous aimez

voir le dattier :
vous ferez un voyage malchanceux

DAUPHIN **le voir dans la mer :**
chance et amis fidèles

le voir hors de l'eau :
un de vos très chers amis mourra

DEBRIS **les voir :**
vous arriverez à une très bonne situation financière

DECAPITER **être décapité :**
vous perdrez un proche parent
peur

décapiter quelqu'un :
vous l'emporterez sur un de vos adversaires

DECHARGER **quelque chose :**
vous aiderez quelqu'un qui se trouve en difficulté financière

voir quelqu'un :
vous jouissez d'une très bonne position sociale et économique

DEFENDRE (SE) **de quelqu'un :**
un projet sera abandonné : ayez conscience de vos limites et de vos possibilités

DEFUNT **le voir :**
chance et joies familiales
un de vos projets se réalisera

s'il se montre rembruni et en faisant du bruit :
vous vous êtes mal conduit avec quelqu'un et maintenant vous en supportez les conséquences

DEJEUNER **seul :**
vous devrez lutter pendant longtemps pour former la famille à laquelle vous aspirez

en compagnie :
richesses, gaieté, amitiés

donner un déjeuner :
quelqu'un vous couvre de louanges et de flatteries méfiez-vous des personnes hypocrites

à la campagne :
vous serez au milieu d'une querelle ou d'une rixe

en ville :
vous révélerez un secret

DELUGE **s'y trouver au milieu :**
vous subirez de grosses pertes

universel :
vous risquez de perdre vos biens

DEMANDER **s'entendre demander quelque chose :**
vous êtes trop bavard et trop curieux

DEMANGEAISON **la sentir :**
vous recevrez de l'argent qu'on vous devait depuis longtemps

DENTS **les perdre :**
Artémidore considère la bouche comme la maison et les dents comme ses habitants. Perdre une dent peut par conséquent signifier perdre un parent mais aussi de l'argent et des objets précieux

perdre les dents du bas :
vous perdrez quelqu'un de vil et de superficiel auquel vous n'attachez pas de prix

perdre les dents du haut :
une personne influente, intelligente et de grande valeur mourra

perdre les dents du côté droit :
un homme ou une personne très âgée mourra

perdre les dents du côté gauche :
une femme ou une personne très jeune mourra

si vous avez beaucoup de dettes :
perdre des dents signifie que vous rendrez de l'argent à vos créanciers

perdre des dents cariées, gâtées, cassées :
vous vous libérerez de problèmes oppressants

avoir des dents en ivoire ou en or :
richesse, abondance, chance

avoir des dents molles :
vous mourrez

avoir des dents en verre, en bois (ou fragiles) :
vous mourrez de façon violente

voir repousser les dents qu'on a perdues :
si les nouvelles dents sont mieux que les premières : votre vie s'améliorera
si les nouvelles dents sont pires que les premières : votre vie empirera

avoir de la viande ou des épines entre les dents :
vous devrez affronter des obstacles et vous aurez des soucis

se nettoyer les dents :
vous éviterez les obstacles qui se présenteront

avoir des fausses dents :
quelqu'un veut vous duper

se faire arracher des dents :
vous voulez cesser vos relations avec quelqu'un

DENUDER **quelqu'un :**
vous êtes un effronté qui ne respecte pas les sentiments d'autrui

se dénuder :
vous avez des parents envieux et perfides
vous êtes très exhibitionniste mais en même temps timide

DERAILLER **un train :**
une aventure désagréable s'annonce
attention à un danger menaçant

DES **y jouer :**
actuellement vous n'avez pas d'argent mais si vous avez envie de jouer, c'est le moment

les voir :
dommage, malheur
si c'est un malade qui les voit, son état empirera

DESCENDRE **de cheval :**
votre position sociale subira un changement
perte de prestige et d'autorité

d'une voiture :
vous atteindrez bientôt le but que vous vous êtes fixé

d'une montagne :
vous réussirez à aplanir et à résoudre vos difficultés

DESERT **s'y trouver :**
obstacles, pertes et malchance dans les affaires

y voyager pour son plaisir :
vous êtes généreux et vous avez de nobles sentiments
vous pouvez compter sur votre chance dans le domaine affectif

DESHABILLER (SE) **en avoir honte :**
vous unissez le manque de confiance en vous à l'exhibitionnisme

se voir :
vous éprouverez une joie inattendue

voir quelqu'un :
attention aux voleurs

DESHERITER **être déshérité :**
une personne que vous n'aimez pas mourra

DESIRER **quelque chose :**
vous êtes insatisfait et insatiable

et être exaucé :
vous trouverez un ami fidèle
chance

DESORDRE **le voir :**
vous serez la cause de problèmes en famille

le faire :
la pureté et la loyauté ne vous caractérisent pas

DESSINER **quelque chose :**
vous passerez à l'exécution d'un projet. La chance vous sourit

voir un dessin :
vous ferez une agréable expérience

recevoir un dessin :
quelqu'un désire vous épouser

DETRUIRE **rageusement quelque chose :**
une dispute avec l'objet de votre amour vous a rendu malheureux

DETTES **les faire :**
vous vous montrez excessivement prodigue

les payer :
vous vous sentez prisonnier de quelque chose dont vous voulez vous libérer, soucis
si un malade rêve d'avoir des dettes, son état s'aggravera

DEUIL **être en deuil :**
chance, c'est un présage de très bon augure

DEVINETTE **la faire :**
vous êtes indécis au sujet d'une question importante

recevoir une réponse :
vous obtiendrez un éclaircissement sur une question importante

DIABLE **le rencontrer ou en être ami :**
danger et douleur, vous vous ferez posséder par une personne perfide que vous considérez comme une amie

DIADEME **le posséder :**
vous vous distinguez au milieu de la masse

DIAMANT **le voir :**
accroissement des richesses et du bien-être

faux :
joies éphémères, apparences trompeuses

le recevoir :
des honneurs vous seront attribués

en faire collection :
vaines sont vos espérances de réussir à exécuter l'un de vos projets

le perdre :
vous serez outragé

DIEU **l'adorer :**
vous êtes heureux et votre bonne étoile ne vous abandonnera pas

devenir un Dieu :
vous vous ferez prêtre ou sœur
si vous êtes malade : votre maladie s'aggravera
si vous êtes pauvre : l'état de vos finances s'améliorera

si vous êtes un magistrat ou un personnage influent : la chance et la prospérité seront généreuses avec vous

capturer Dieu ou le prendre :
vous serez la proie des problèmes et de la mélancolie si vous êtes pauvre, votre situation économique s'améliorera

DILIGENCE **la voir :**
vous voyagerez dans des pays qui vous sont encore inconnus

DINER **se voir en train de dîner :**
après tant d'amours faciles, vous avez enfin trouvé une personne qui vous aime sincèrement

DIPLOME **le recevoir :**
vous êtes sûr de vous, vous êtes à même de prendre des décisions et des engagements

le voir :
vous avez négligé certaines choses importantes

DIRECTEUR **le voir :**
une nouveauté vous attend : un de vos désirs se réalisera à l'improviste

parler avec lui :
vous accéderez à une position prestigieuse

DIRIGEABLE **le voir :**
un de vos désirs sera exaucé

y voyager :
le courage et la sérénité ne vous font pas défaut

DISCORDE **voir des gens en train de se disputer :**
vous êtes mécontent. Attention à un danger

entre amoureux :
votre vie familiale sera sereine

DIVAN **le voir :**
vous jouirez d'une position influente
bien-être et chance dans les affaires

DIVORCER il vous faudra vous séparer de quelqu'un ou de quelque chose que vous aimez mais qui vous crée de gros problèmes

DOIGTS **voir de beaux doigts en bon état :**
honneurs et prestige vous seront dévolus

perdre un doigt :
une personne appartenant à votre famille mourra

se les couper et voir le sang en jaillir :
quelqu'un de votre connaissance tombera gravement malade

DOMESTIQUE **en avoir un :**
vous vivrez dans l'aisance même si vous perdez un peu de votre indépendance

l'être :
vous gagnez bien votre vie mais vous devez peiner durement

DONS **les recevoir :**
grand changement
si vous êtes pauvre, vous vous enrichirez
si vous vivez dans l'aisance, vous perdrez vos biens

les offrir :
vous éprouverez une grande joie

DORMIR **se voir :**
vous jouissez d'une mauvaise réputation
un grave incident vous arrivera

être sur le point de s'endormir :
malchance

dans une église :
si vous êtes en bonne santé, vous tomberez malade
si vous êtes malade, vous guérirez rapidement

dans une tombe :
vous aurez des obstacles à vaincre
il se peut que vous soyez victime d'un très grave accident

DOS **beau :**
vous aurez une vieillesse heureuse

blessé ou rugueux :
l'âge mûr créera des difficultés

le casser :
il vous faudra affronter de graves problèmes durant votre vieillesse

DOT **la recevoir :**
vous vous marierez bientôt mais votre conjoint vous trompera

DOUCHE **la prendre :**
votre zèle et votre ténacité ne seront pas reconnus ni appréciés par les autres

DOULEURS **physiques, les éprouver :**
vous tomberez malade

mal aux dents :
un de vos parents guérira vite

mal aux oreilles :
quelqu'un fait des ragots sur vous

mal aux yeux :
un de vos enfants tombera malade

mal au ventre :
vous avez agi d'une manière inconsidérée

DRAGON **le voir :**
vous serez très favorisé dans le domaine du travail mais vous aurez des problèmes avec votre belle-mère

en être poursuivi :
vous arriverez à vaincre une foule d'obstacles

DRAP **en être recouvert :**
vous hériterez

le voir :
maladie bénigne

DRAPEAU **le voir flotter :**
vous conjurerez un danger mais faites attention

le porter :
tout le monde vous respecte

DROMADAIRE **le voir :**
vous mènerez une vie heureuse et variée mais votre travail sera dur et absorbant

DUEL **y participer :**
la jalousie provoquera entre vous et votre partenaire des discordes passagères
quelqu'un est amoureux de vous

être blessé :
il vous faudra traverser des périodes difficiles. Attention, vous courez un grave danger

DYNAMITE **en train d'exploser :**
vous êtes très estimé

E

EAU **qui bout :**
vous gagnerez beaucoup d'argent au jeu

putride et stagnante :
vous vous querellerez et vous serez trompé

boire de l'eau salée :
pleurs dus à des chagrins d'amour

s'enfoncer dans l'eau :
une personne autoritaire vous humiliera

se baigner dans une eau limpide :
vos sentiments sont purs et votre esprit serein

boire de l'eau chaude :
vous tomberez malade

boire de l'eau froide :
signe de bonne santé
pour un malade : son état va s'améliorer

marcher sur l'eau :
vous arriverez à vaincre un obstacle

eau bénite :
signe de bonne santé

ECHECS **y jouer :**
vous êtes habile et plein de ressources, vous arriverez à réaliser vos projets

voir quelqu'un y jouer :
vous craignez un adversaire dangereux, vos craintes sont injustifiées

ECHO **l'entendre :**
vous recevrez la visite d'une personne amie
vous avez une prédisposition aux troubles mentaux et à la surdité

ECLAIR (voir **Foudre**)

ECLAIRAGE **brusque, de lampes, torches, bougies :**
vous êtes gai et sympathique
une nouvelle et subite passion vous emportera

ECLATEMENT **le voir :**
vous serez le témoin d'un événement stupéfiant et à la fois magnifique

se trouver au milieu :
les ennuis et les embêtements ne tarderont pas
maladie possible

ECLIPSE (de Soleil ou de Lune)
(voir **Soleil** ou **Lune**)
vous jouez de malchance, vous perdrez des amis ou des parents
des pertes d'ordre financier sont possibles

ECOLE **y aller :**
vous éprouverez des joies simples

s'y trouver :
vous ferez une expérience désagréable

y emmener des enfants :
vous avez le sens des responsabilités et vous prenez bien soin de votre famille

ECREVISSE **la voir :**
vous romprez avec des amis malveillants
vous naviguez en pleine incertitude

la prendre :
mariage
vous acquerrez davantage de confiance en vous

ECRIRE **de la main gauche :**
enfants illégitimes, adultère, manque de loyauté envers son conjoint

se voir en train d'écrire :
vous devez prendre une décision importante

voir quelqu'un :
vous ferez bientôt un petit voyage

avec une écriture différente de la sienne :
vous êtes déloyal et vous vous préparez à tromper un ami

ECRITURE **lire une écriture inconnue :**
il se passera bientôt quelque chose de nouveau

voir son écriture :
si elle est belle et lisible : vous aurez de la chance dans les affaires
si elle est illisible, penchée ou bien manque d'élégance : votre situation économique empirera

ECROULEMENT **d'une maison :**
ne comptez sur personne si ce n'est sur vous-même

économique :
richesse et bien-être

ECUEIL (voir **Rochers**)

ECUREUIL **le voir :**
vous éprouverez une joie inattendue

le prendre :
un grave danger vous menace

en être mordu :
peines familiales en perspective

EFFRAIE **perchée sur une branche :**
certaines de vos activités financières subiront un ralentissement ou cesseront

EFFRAYER (voir **Peur**)

EGARER (S') vous rencontrerez une foule d'obstacles avant de trouver le bonheur
gros chagrin

EGLISE **s'y trouver :**
tranquillité. Vous serez consolé d'une déception que vous avez eue

entendre des fidèles qui y chantent :
bonheur. Un de vos désirs sera exaucé

la voir détruite ou en flammes :
grave malheur et tristesse

s'en enfuir :
vous souffrez d'avoir été la dupe d'une personne perfide

en être chassé :
vous êtes en train de surmonter des moments difficiles, ne vous découragez pas car l'avenir s'annonce plus rose

ELEPHANT **le voir sur le seuil de sa maison :**
vous pouvez être sûr du succès

le chevaucher :
bonheur dans les affaires

s'il est menaçant et veut écraser le rêveur :
grave maladie et danger de mort

le voir mort :
vous renoncerez à un projet auquel vous teniez

ELEVES **les voir :**
votre vie sera longue et laborieuse

l'être :
vous avez un tempérament mélancolique et vous êtes trop lié au passé

EMBALLER **quelque chose :**
stagnation momentanée des affaires

EMBARQUER (S') **pour un petit voyage :**
la vie vous réservera chance et plaisirs en abondance

pour un long voyage :
vous jouerez de malchance

EMBAUMER **une personne :**
votre fils aura le même caractère que vous

un animal :
vous croyez à tout ce qu'on vous dit et vous serez trompé

EMBOUCHURE **d'un instrument musical :**
un amour sensuel vous attend

EMBRASSER **la main :**
on trahira votre confiance

le visage :
amour, tendresse, noces proches

sur la bouche :
hypocrisie

un enfant :
vous serez heureux et vous aurez de la chance

une femme :
il vous faudra conjurer un péril

un homme :
amour malhonnête

une personne âgée :
vous subirez une perte

vouloir embrasser quelqu'un et en être repoussé :
vous êtes triste, mélancolique

une personne morte depuis longtemps :
vous êtes sous de favorables auspices

EMBRASSER (prendre et serrer dans ses bras)
un ami (s'il s'agit d'une femme) :
vous tromperez votre mari

une femme (s'il s'agit d'un homme) :
vous aurez un enfant

des animaux :
vous êtes ingénu : attention car on vous trompera

EMBUSCADE **y tomber :**
vous découvrirez un secret

la tendre :
soyez plus prudent

EMERAUDE **la voir, la recevoir en cadeau :**
de grands changements sont prévus dans votre vie : de ville, d'état civil, de patrimoine

EMIGRER grands changements en prévision
préparez-vous à changer de ville ou de travail ou de genre de vie

EMPECHER **quelque chose :**
vous échapperez à une disgrâce ou à un attentat

EMPEREUR **le voir :**
vous obtiendrez de l'avancement dans votre profession

parler avec lui :
honneurs et reconnaissances vous seront attribués

EMPOISONNER **quelqu'un :**
vous êtes vil et mesquin

être empoisonné :
vous perdrez une personne qui vous est chère

EMPORTER (S') **soi-même :**
vous êtes doté d'un tempérament passionnel et agressif

voir quelqu'un :
vous êtes pacifique et vous haïssez la violence

ENCEINTE **voir une femme enceinte :**
il vous arrivera quelque chose de désagréable

l'être :
vous envisagez la sexualité avec crainte

ENCHAINER **quelqu'un :**
vous voulez empêcher quelqu'un de parler

voir des gens enchaînés :
vous craignez que quelqu'un ne revèle un secret qui vous appartient

être enchaîné :
si vous êtes encore célibataire, vous célébrerez bientôt vos noces

ENCLUME **la voir :**
il est possible que vous souffriez de troubles sexuels

s'en servir :
la persévérance et la constance vous caractérisent

ENCRE **la voir :**
vous serez calomnié

la boire :
vous agirez d'une manière stupide

l'acheter :
vous recevrez une nouvelle importante

ENDORMIR (S') vous êtes au bord de la dépression, vous avez besoin de repos

ENFANT **redevenir enfant :**
bonheur et richesse

tenir dans ses bras un enfant mort :
c'est un présage de très mauvais augure : grand malheur

dans les bras d'un homme :
vous aurez un garçon

dans les bras d'une femme :
vous aurez une fille

avoir des enfants :
vous serez heureux

le voir tomber :
des préoccupations et des obstacles ne tarderont pas à apparaître dans votre travail

voir beaucoup d'enfants :
vous devrez surmonter beaucoup d'obstacles et vous aurez quelques problèmes

ENFANTS **voir ses enfants :**
vous vous faites beaucoup de souci pour une situation que vous ne savez pas comment résoudre

voir son propre fils retourné à l'âge de l'enfance :
vous vivrez aisément pendant un certain temps

rêver d'en avoir :
il y aura des discordes en famille

avoir un enfant illégitime :
de méchants ragots vous feront souffrir

ENFARINER **quelque chose :**
la loyauté n'est pas votre fort, en revanche l'adulation et la mesquinerie le sont

ENFER **le voir :**
votre vie changera du tout au tout

se trouver devant les portes :
vous devrez affronter des ennuis et des litiges

y être :
la situation empirera momentanément

en sortir :
vous êtes finalement sauvé d'un danger

ENFERMER **être enfermé :**
vous devrez vaincre des obstacles imprévus et ennuyeux

enfermer quelqu'un :
vous arriverez à mettre hors d'état de nuire un de vos adversaires

ENFONCER **dans l'eau :**
vous serez humilié par quelqu'un d'autoritaire

dans la boue :
vous aurez honte d'une action peu légale et louche

ENGELURES **les avoir :**
vous traverserez des moments difficiles

ENGRAIS **le manger :**
vous serez couvert de richesses et d'honneurs

le voir ou le répandre :
vous conclurez une bonne affaire, vous êtes sous d'heureux auspices

ENLEVER **être enlevé :**
maladie

ENNEMI **en triompher :**
la tristesse fera place au bonheur

le rencontrer :
un rival deviendra inoffensif

l'embrasser :
signe de paix

le voir :
malchance, tristesse

ENNUYER (S') il vous faudra soutenir une discussion désagréable

ENROULER **quelque chose :**
vous aurez de petits chagrins

ENSANGLANTER (S') vous manquez de finesse et vous n'avez pas non plus le sens de l'opportunité. Apprenez à saisir les occasions lorsqu'elles se présentent

ENSEIGNER **à quelqu'un :**
vous serez invité par des amis

recevoir une instruction :
vous vous laissez dominer par les autres. Soyez plus indépendant

ENTERREMENT **y assister :**
vous êtes en danger

suivre le sien :
votre avenir sera brillant et sous d'heureux auspices dans tous les domaines

l'accompagner :
vous recueillerez un héritage, vous deviendrez riche

ENTERRER (voir **Tombeau**)

ENTONNOIR **le voir :**
vous allez toujours au cœur de la situation, vous avez l'art de synthétiser et de conclure les affaires avec intelligence et sans dispersion inutile

ENTREE **ouverte :**
bonheur et prospérité dans les affaires

fermée :
il vous faudra surmonter une foule d'obstacles

solennelle, la voir :
vous êtes d'un naturel gai

ENTRELACER **des objets :**
vous favoriserez un amour
il vaudrait mieux que vous reportiez un voyage
sinon celui-ci pourrait vous créer un tas d'ennuis

ENTRER **ne pas trouver l'entrée :**
vous agissez sans réfléchir

dans une église :
votre état d'esprit est bon mais vous avez besoin
de réconfort

ENVELOPPE **la voir :**
vous avez des secrets

fermée :
vous voulez cacher quelque chose

EPAULES **larges, imposantes :**
chance, bonheur et santé

blessées ou endolories :
disgrâce, infirmité, mort d'un conjoint

gonflées :
querelles et ennuis dans la famille

EPEE **la recevoir, s'en servir :**
vous parviendrez au pouvoir et à la célébrité

la briser :
vous vous trouverez dans une situation
embarrassante

la perdre :
votre situation financière empirera

la dégainer :
vous serez mêlé à un litige

se blesser avec :
un personnage influent vous tendra la main

EPIER **quelqu'un :**
votre comportement déloyal vous causera une humiliation. Soyez plus franc et plus sérieux

EPILEPSIE **voir un épileptique :**
un grand changement se prépare dans votre vie

EPINE **en sentir la piqûre :**
il vous faudra surmonter des obstacles, des douleurs ou de la mélancolie
cela peut également signifier un grand amour, non partagé, pour une femme

EPIS **les cueillir :**
gain et abondance

les voir :
vous arriverez à réaliser un de vos désirs

les arracher ou les piétiner :
vous perdrez des occasions importantes qui vous empêcheront d'atteindre votre objectif

EPLUCHER **quelque chose :**
deuil dans la famille

EPONGE **l'utiliser :**
vous êtes avare, c'est la raison pour laquelle vous êtes antipathique et seul

EPOUSE (voir **Mari**)

EPOUSER **quelqu'un :**
votre avenir se présente sous d'heureux auspices

participer à un mariage :
noces imminentes ou satisfactions d'ordre familial

danser lors d'un mariage :
grandes satisfactions du point de vue affectif

épouser quelqu'un d'inconnu :
il vous faudra franchir des difficultés

EPRENDRE (S') vous serez victime d'une tromperie sans grande importance

voir un amoureux :
vous vivez un amour secret

ERMITE **le voir :**
vous avez des idées étranges
tendance à la folie

l'être :
vous mènerez une vie tranquille et retirée

ERUPTION (cutanée) **l'avoir :**
maladie bénigne

la voir :
de petits problèmes vous angoissent

ESCALIER **le monter :**
vous aurez un grand succès dans tous les domaines et vous parviendrez à la position à laquelle vous aspirez tant

le descendre :
vous subirez de considérables pertes d'argent

monter un escalier en colimaçon :
votre réussite dans les affaires est sûre, mais lente : vous êtes trop indécis

monter une échelle :
abondance, richesse

monter un escalier portant au ciel :
joie, transformation radicale dans votre manière de vivre

ESCARGOTS **les voir :**
votre paresse sera la cause d'énormes pertes d'ordre financier

les manger :
votre entreprise périclitera

ESCRIME **voir faire de l'escrime :**
dispute avec une personne amie

faire soi-même de l'escrime :
vous devrez renoncer à quelque chose que vous désiriez depuis longtemps

ESSAIM **d'abeilles :**
vous pouvez être assuré du succès en ce qui concerne vos affaires

en être piqué :
vous êtes trop faible et sans énergie

de guêpes :
vous vous entourez d'un trop grand nombre de personnes et cela vous créera des ennuis

ESSENCES **en sentir le parfum :**
vous êtes entouré de personnes déloyales gardez-vous des flatteurs

ESTROPIE **l'être :**
vous aurez une foule de difficultés à franchir mais vous obtiendrez l'aide d'une personne amie

voir quelqu'un :
vos amis ne vous tourneront jamais le dos

ETABLE **y voir des animaux :**
votre travail sera long et laborieux mais à la fin il sera couronné de succès

la voir vide :
changement en prévision

ETALON **le voir :**
vous êtes plein de force et de courage et vous arriverez à surmonter tous les obstacles

ETANG (voir **Eau**)

avec des cygnes :
noces immmentes

ETE **le voir chaud et agréable :**
abondance, richesse et bonne situation économique

ETEINDRE **une lumière ou une lampe :**
vous aurez une déception amoureuse

le feu :
joie, gaieté et chance

ETINCELLE **la voir :**
joie éphémère. Vous remporterez des succès inespérés

ETOFFE **la voir :**
voyage favorisé par la chance

la couper :
vie brève mais heureuse

ETOILES **les voir claires et brillantes :**
nouvel amour
les voyages et les activités sont favorisés

filantes :
dangers

les manger :
déveine, disgrâce

les voir dans une maison :
changement d'habitation, problèmes à résoudre

en voir briller une d'une manière excessive :
naissance d'un amour durable

ETOUFFER **se voir :**
vous souffrez de troubles bronchiques ou pulmonaires
(voir **Poumon**)

se sentir :
vous êtes surchargé de dettes

ETRANGER **voir des pays inconnus :**
vous ferez un long voyage

ETRANGERS **les rencontrer :**
vous ferez la connaissance de personnes intéressantes

ETRANGLER **l'être :**
malchance, douleurs, soucis
vous serez surchargé de dettes

étrangler quelqu'un :
votre comportement inconsidéré causera de graves préjudices d'ordre économique à quelqu'un

EUNUQUE **le voir :**
malchance
danger menaçant

EVANGILE **le lire :**
vous êtes obsédé par un problème et vous avez besoin d'un conseil sage

EVANOUIR (S') **se voir évanoui :**
vous aimez sans être payé de retour
maladie bénigne

EVENTAIL **le voir :**
vous aimez passionnément quelqu'un qui ne partage pas vos sentiments
tristesse

EVEQUE **le voir, parler avec :**
honneurs et reconnaissances vous seront conférés

l'être :
vous êtes trop ambitieux

EXAMEN **y assister :**
vous atteindrez l'objectif fixé

le passer :
vous rencontrerez de nombreux obstacles sur votre chemin mais vous en sortirez victorieux
vous êtes optimiste

EXCREMENT **humain, en être souillé :**
vous subirez une offense
querelle en famille

en souiller la tête de quelqu'un :
mort de ce dernier

le manger :
vous aurez une chance folle dans les affaires
vous êtes ambitieux et de grandes richesses vous seront acquises

d'animal, le voir :
si dans la réalité nous n'êtes en contact ni avec les engrais ni avec les matières fécales, ce rêve est un signe de danger de maladie

EXECUTION (capitale) **y assister :**
richesses et honneurs vous seront donnés, en revanche vous aurez des problèmes avec votre famille et avec l'objet de vos amours

EXIL **y être :**
vous romprez des liens d'amitié
tristesse
vous changerez de travail ou de pays

EXPEDIER **quelque chose :**
vous ferez quelque chose qui était resté en suspens depuis longtemps
vous vous libérerez de vos soucis

EXPLOSION **l'entendre :**
un événement retentissant se produira dans votre famille
peur

F

FABRIQUE (voir **Usine**)

FACTEUR **le voir :**
vous recevrez des nouvelles et une lettre d'une personne que vous n'avez pas vue depuis longtemps

FAILLITE **rêver de faire faillite :**
votre situation économique s'améliorera :
nouvelles et importantes rentrées d'argent
si vous jouez, la chance sera de votre côté

FAIM **avoir faim :**
vous ferez de vains efforts

se rassasier :
votre famille et vous-même traverserez une période de grande prospérité et d'abondance

FAMILLE **voir la sienne :**
vous éprouverez une grande joie inattendue

en voir une autre :
dispute en famille

la voir en désaccord :
vous subirez une offense et vous serez critiqué

FAMINE **rêver de devoir en pâtir :**
perte d'ordre financier
il se peut que vous ayez un chagrin d'amour ou que vous vous sépariez. Prenez donc les mesures qui s'imposent pendant qu'il est encore temps

FANTOME **dc couleur blanche et inconnu :**
joie, consolation et santé

de couleur noire :
un membre de votre famille mourra

qui parle :
écoutez-le, il vous donnera un bon conseil

d'une personne morte :
vous aurez une vie longue et heureuse

FARDER (SE) vous devez vous soigner davantage
maladie bénigne

voir quelqu'un :
vous vous laisserez tromper par des personnes déloyales

FARINE **la pétrir :**
grâce à vous, tout va pour le mieux dans la famille

la tamiser :
un événement inattendu aura lieu dans les jours qui viennent

FASCINER **quelqu'un :**
vous faites preuve de coquetterie

être fasciné :
vous subirez des pertes d'argent

FAUTEUIL **vous y asseoir longtemps :**
votre santé laisse beaucoup à désirer
soyez plus prudent

vous y balancer :
santé précaire

en voir de beaux chez soi :
tranquillité familiale et aisance

d'une matière légère et fragile :
vous êtes faible et instable : lorsque vous vous fixez un but, vous ne vous obligez pas toujours à y arriver
vous êtes trop soumis et conciliant

chaise longue, la voir :
vous craignez qu'une aventure amoureuse passée ne soit découverte

FAUX **l'avoir :**
avant six mois vous subirez un dommage
malchance et pertes financières

l'utiliser :
vous ferez face à de nombreuses difficultés avec courage et résolution et vous les franchirez

FEMME **la voir à ses côtés :**
dans le rêve d'un homme : vous contracterez une vilaine maladie
dans le rêve d'une femme : vous mettrez au monde un garçon

menaçante :
vous aurez de grosses discussions et des peines

ressemblant à sa propre mère :
vous vous fiancerez et vous vous marierez très vite

FENETRE **l'ouvrir :**
vous aurez une réussite brillante et facile dans le monde des affaires

la voir fermée :
vous devrez affronter une foule de difficultés
mais vous êtes courageux et constant

s'y précipiter :
une grande nouveauté se prépare

y entrer :
vous vous disputerez avec quelqu'un

FERMER **une porte :**
vous voulez éviter les choses désagréables
vous êtes très individualiste et peu sociable

FERS **trouver un fer à cheval :**
vous ferez un voyage sûr et heureux

battre un fer incandescent :
ennuis et procès

en être blessé :
vous ressentez une immense tristesse

le voir fondre :
vous jurez fidélité éternelle, votre mariage sera très heureux

les vendre :
vous serez victime d'une disgrâce ou d'un grave préjudice

FETE **bal :**
d'ici peu, quelqu'un de votre connaissance
annoncera ses fiançailles ou son mariage

y participer :
grande joie et gaieté en perspective

y danser :
vous êtes très amoureux et vous désirez vous marier

FETE PATRONALE **d'un village, y participer :**
vous serez inopinément au comble de la joie

FEU **l'allumer :**
un événement extrêmement important ne tardera pas à se produire
vous avez une puissante et fascinante personnalité

allumer un petit feu :
vous aurez une petite aisance, une petite vie et un petit bonheur

en allumer un grand :
vous vivrez dans une grande aisance

se brûler :
vous tomberez malade

l'éteindre :
vous devrez modifier vos plans

avec de la fumée :
vous commettrez une grave erreur

FEUILLES **les voir vertes sur les arbres :**
vous avez beaucoup d'espoirs
vous vous réjouirez

les voir sèches et qui sont tombées des arbres :
il vous arrivera un malheur
deuil dans la famille

FIANCES **les voir :**
vous vous marierez bientôt

voir son fiancé ou sa fiancée :
vous serez heureux

danser avec lui ou avec elle :
votre mariage se présente très bien

le / la voir courir :
il / elle mourra

le / la voir mourir :
il / elle aura une longue vie

FIL **le tenir emmêlé dans ses mains :**
il vous faudra fournir un immense effort pour vous tirer d'affaires

l'enrouler :
ralentissement d'une activité
attention à l'avarice, elle vous rendra très malheureux

le démêler :
vous trouverez la réponse à certains de vos doutes

FILET **en être prisonnier :**
changement de situation
vous désirez vous défaire d'une mauvaise habitude ou d'un vice qui vous empêche de trouver le bonheur. Soyez énergique et ne tergiversez pas

le lancer en mer :
vous conclurez des affaires illicites

le rompre :
vous serez plus astucieux que votre adversaire

l'entrelacer :
aventure sensuelle
joie et satisfaction

FLAMBEAU **le voir de loin :**
vous vous trouvez actuellement dans une situation fâcheuse qui ne tardera pas néanmoins à s'améliorer

le porter :
votre amour sera partagé

le voir brûler :
vous aurez une longue vie

l'éteindre :
quelqu'un de votre connaissance mourra

voir une retraite aux flambeaux :
honneurs et reconnaissances vous seront attribués

FLAMMES (voir **Feu**)

FLAQUE **y tomber :**
il vaudrait mieux que vous fréquentiez un autre milieu. En effet vos amitiés présentes ne sont pas très recommandables

la franchir en sautant :
vous éviterez une situation très désagréable et dangereuse

la voir de loin :
si vous jouez à la loterie, vous gagnerez le gros lot

FLATTER **être flatté par un ami :**
celui-ci trahira votre confiance

flatter quelqu'un :
vous obtiendrez fortune et richesses à force d'humiliations et de moyens peu orthodoxes

FLECHES **en être touché :**
vous devrez résoudre des questions financières et les litiges conséquents avec des parents. Vous devez prendre une décision qui est loin d'être facile. Pesez-la attentivement

FLEURS **quelle qu'elle soit :**
votre situation financière s'améliorera très nettement

les arracher :
ne laissez pas vous échapper une bonne occasion

les planter :
honneurs et argent vous seront acquis

les cueillir :
gros gain

les voir se faner :
vous tomberez malade

les lier :
vous serez transporté de joie

FLEUVE **aux eaux limpides :**
le moment est favorable pour un voyage

aux eaux troubles :
le voyage sera plein de contrariétés et d'obstacles

le voir déborder :
malchance, dégâts matériels et pertes d'argent

se baigner nu ou nager :
chance, prospérité et richesse

le traverser et gagner l'autre rive :
vous réussirez à vaincre heureusement tous les obstacles

s'y endormir :
mort

y naviguer :
la chance vous sourira et vos affaires seront prospères

FOIN **le voir :**
abondance et prospérité

s'y allonger :
votre vie sera sereine et heureuse

FONDRE **quelque chose :**
multiples joies familiales

FONTAINE **aux eaux limpides et jaillissantes :**
richesses et prospérité vous seront accordées

où l'eau jaillit à profusion :
votre avenir et celui de votre famille sera prospère et sûr

en voir jaillir une depuis longtemps à sec :
vous aurez une chance inattendue

fonts baptismaux :
bonheur, votre mariage est serein

sans eau :
maladie, malheur, pauvreté

FORET **y pénétrer :**
des complications vous attendent

la voir :
vous êtes serein et sûr de vous

FORGERON **l'être :**
de fâcheux événements s'annoncent
vous vous querellerez avec quelqu'un
soyez plus indulgent
si vous êtes sur le point de vous marier, c'est le présage d'un mariage réussi

FOSSE **le franchir ou le sauter :**
vous éviterez un danger

y tomber :
vous serez victime d'une disgrâce

le voir :
vous êtes chanceux et téméraire mais vous avez encore le temps d'éviter une situation qui causerait votre ruine

FOSSOYEUR **le voir :**
quelqu'un souhaite votre mort

FOU **le voir :**
la vie vous prépare maintes surprises

l'être :
vous êtes sous de très favorables auspices

FOUDRE **la voir lors d'un orage :**
vous éprouverez de la douleur. Vous tomberez malade
cela peut aussi indiquer une perte de biens

FOULE **s'y trouver :**
vous êtes coléreux, vous vous disputerez avec quelqu'un

FOUR **le voir :**
vous arriverez à résoudre une situation qui vous donne bien du souci

le chauffer :
vous porterez à terme une entreprise commencée

l'utiliser :
vous accomplirez jusqu'au bout un travail fatigant

FOURMIS **les voir :**
bonnes affaires, abondance

être allongé sur une fourmilière :
vous courez un très grave danger : prêtez plus d'attention que d'habitude à tout ce que vous faites

ailées, les voir :
un voyage est à déconseiller, il serait marqué par la malchance et il vous conduirait à la ruine

les piétiner volontairement :
vous êtes dénué de scrupules et vous aurez le dessus

les piétiner involontairement :
vous aurez de graves préoccupations

FOURRURE **la porter :**
vous passerez une période pleine d'activité, ne négligez pas pour autant les tâches moins agréables car cela pourrait gâcher la situation

FOYER (voir **Feu**)

FRAC **le porter :**
vous ferez partie d'une classe sociale très élevée

FRAISES **les manger :**
vous aurez une occasion unique, ne la laissez pas vous échapper

les voir :
vous tomberez amoureux

les cueillir :
vous souffrirez d'un léger malaise

les offrir :
un grand amour est fini mais vous en gardez un bon souvenir

FRAMBOISES **les manger :**
vous aurez une liaison amoureuse de courte durée mais vous serez heureux pendant ce temps

FRAPPER **le (ou la) conjoint(e) :**
il (ou elle) vous sera infidèle

n'importe qui d'autre :
vous aurez affaire avec la justice : vous serez l'objet d'une dénonciation ou d'un litige qui sera soumis aux tribunaux

être frappé (avec les mains ou avec un bâton) :
la chance sera avec vous

l'être avec un fouet ou avec une canne en bambou :
malchance, problèmes, chagrins

FRAPPER (à une porte) **entendre frapper :**
vous recevrez une nouvelle désagréable et inattendue

se voir en train de frapper :
vous recevrez une nouvelle triste et bouleversante

FRERE **le voir :**
vous aurez des joies en famille

avoir affaire avec lui :
vous éprouverez un grand chagrin

dispute avec lui :
une situation peu agréable vous attend

le voir mourir :
il aura une vie longue et heureuse

FROID **avoir froid :**
vous êtes sur le point de tomber malade, surveillez un peu plus votre santé

FROMAGE **le manger :**
gros gain et énormes profits
vous êtes en bonne santé

FRONT **haut et ouvert :**
vous avez le don de savoir parler

l'avoir en bronze, fer ou pierre :
vous excitez la haine de quelqu'un

bas :
vous devez montrer plus de courage et faire valoir vos droits

blessé :
quelqu'un vous nuira

FRUITS **les voir :**
abondance

sur les arbres :
d'excellentes occasions du point de vue travail s'offriront à vous

les offrir :
vous gagnerez à la loterie

les manger acerbes :
vous aurez une maladie bénigne

les manger quand ils sont mûrs :
vous passerez de belles journées avec des amis

les acheter :
quelqu'un veut vous posséder

FUIR **quelqu'un :**
vous serez favorisé en amour et dans les relations sociales
vous réaliserez vos aspirations et vous vivrez sous d'heureux auspices

FUMER **un cigare :**
plaisirs et gains

une cigarette :
aventure sentimentale

la pipe :
vous êtes quelqu'un de médiocre qui s'attache à l'apparence des choses

voir de la fumée :
votre bonheur n'est qu'apparent

fumée noire :
vous devrez surmonter des obstacles. Dispute

voir la fumée s'évanouir :
vous résoudrez facilement une affaire compliquée

FUMIER **en être couvert :**
la chance sera de votre côté en ce qui concerne le travail. Vous gagnerez de grosses sommes d'argent

y dormir et s'y rouler :
dans le rêve d'un pauvre : accroissement des biens avec une chance inespérée
dans le rêve d'un riche : cela signifie misère et humiliations

en être sali par des parents ou des amis :
discordes en famille et humiliations
vous êtes trop timide et vil

se le voir jeter en pleine figure :
vous perdrez au jeu

FUSIL **s'en servir :**
vous nourrissez des soupçons à l'égard de la personne aimée. Soyez moins jaloux, vous n'avez aucune raison pour cela

FUSILLER **quelqu'un :**
un ennemi ne vous laisse pas en paix et veut vous nuire

être fusillé :
vous vivez un grand amour sans lendemain

voir tirer :
vous éprouverez un léger malaise

G

GAIETE **voir des gens gais :**
vous vous marierez bientôt

être gai :
larmes et chagrins ne vont pas tarder

GALERIE **dans une montagne :**
au bout de nombreuses difficultés vous parviendrez à une position élevée

dans une mine :
vous deviendrez très riche

de peinture :
votre vie est agréable mais elle est vide

GALOPER votre carrière sera rapide et brillante

GANTS **les porter :**
plaisir physique, grandes satisfactions

sales :
vous aurez beaucoup d'ennuis

GARDE **le voir :**
des obstacles se trouveront sur votre chemin.

Vous arriverez à les surmonter en procédant par ordre et en vous armant de patience

l'appeler :
vous êtes loyal et les gens ont confiance en vous

être arrêté :
vous vivrez dans la tranquillité et la sérénité

GARE **s'y trouver, la voir :**
voyage inattendu
un peu de repos vous est nécessaire afin que vous ne soyez pas complètement épuisé

GATEAU **le manger, le voir, le préparer :**
fête

l'offrir :
votre amour n'est pas réciproque

GEANT **sur le seuil de sa maison :**
le destin vous est favorable, vous triompherez d'un adversaire

en être poursuivi et éprouver de la peur :
vous réaliserez une de vos ambitions

le voir de loin :
héritage

GENERAL **le voir :**
vous recevrez la visite d'un haut personnage
honneurs et reconnaissance vous seront décernés

à cheval :
vous ferez une conquête

l'être :
dans le rêve d'un militaire : vous aurez une brillante carrière et du succès
dans le rêve d'une autre personne : un grave danger vous menace

GENET **le voir :**
difficultés à surmonter

GENIEVRE (baies) **les manger :**
vous recevrez une bonne nouvelle

les cueillir :
vous brûlez d'un amour ardent qui n'est pas partagé

en boire le sirop :
vous jouirez d'une excellente santé

GENOUX **les voir :**
votre bonne étoile vous suivra

blessés :
perte d'ordre financier

tomber à genoux :
vous serez humilié

en bon état :
force, mouvement, voyage

malades :
stagnation, improductivité

GENS **en voir beaucoup :**
vous vous disputerez avec quelqu'un et il vous arrivera un petit malheur

vêtus de noir :
il y aura un deuil dans votre famille

qui s'approchent :
quelqu'un fait des médisances sur votre compte

GENTIANE **la voir, la cueillir :**
une personne vindicative profitera de vous

GERBES **les voir dans un champ :**
chance, période florissante et agréable
présage de bon augure, richesses et bonheur

GIRAFE **la voir :**
n'abusez pas trop de vous-même ou vous userez votre vie

GLACE **la manger :**
vous vous sentirez très triste et seul
vous romprez avec une personne que vous aimez

GLACE **y marcher et perdre l'équilibre :**
vous subirez un revers de fortune
si ce rêve est fait en hiver, il n'a pas de signification particulière, autrement il indique un changement néfaste

y marcher à toute vitesse :
vous prenez trop de risques dans vos affaires, soyez plus prudent

s'y enfoncer :
vous éprouverez un grande peur

GLAND **le manger :**
vous êtes sans argent

le voir :
vous vivez un amour sincère

GLISSER **se voir :**
vous serez outragé et des bavardages vous mettront dans une situation embarrassante

voir quelqu'un :
vous avez causé des ennuis et des chagrins à quelqu'un qui ne le méritait pas

GORGE (vallée) **étroite :**
vous êtes un irresponsable
si vous ne réfléchissez pas un peu plus, vous ferez du tort à un ami

s'y jeter :
vous devrez vaincre de gros obstacles

ne pas arriver à en sortir :
vous avez de mauvaises compagnies. Il se peut que vous vous droguiez

GOUVERNAIL **le tenir dans ses mains :**
vous craignez de perdre le contrôle de la situation et cela dépend uniquement de vous

le voir tenir :
vous aurez une position de second plan, position à laquelle vous aspirez car vous ne voulez pas vous créer de soucis inutiles

GOUVERNANTE **la voir, en être soigné :**
votre instruction et votre éducation vous permettront de réussir dans une entreprise délicate

GRAINES **voir des oiseaux en train de les picorer :**
vous perdrez de l'argent

les semer :
vos projets se réaliseront
vigueur et dynamisme

les acheter :
tout marche bien dans votre travail

voir quelqu'un en train de les semer :
vous jouirez d'une excellente santé

les manger :
aventure sensuelle. Attraction physique dépourvue d'amour

GRAISSER **se graisser :**
petites affaires et soucis à l'horizon

graisser quelqu'un :
vous êtes sensuel et paresseux
un ralentissement se produira dans votre activité

GRANDIR vous parviendrez à une position sociale élevée et vous acquerrez honneurs et richesses

GRANDS-PARENTS (voir **Ancêtres**)

s'ils sont en vie :
vous avez encore une longue vie devant vous

parler avec eux :
vous recueillerez un héritage

GRAPPE DE RAISIN **la voir :**
déclaration d'amour
aventure sensuelle

la couper :
vous vous séparerez de la personne aimée

la manger :
vous aurez beaucoup d'amants

GRAS **vous engraissez :**
vous vivrez dans l'aisance mais vous aurez des problèmes

manger du gras :
vous tomberez malade

GRATTE-CIEL **le voir :**
vous êtes ambitieux et extravagant

GRELE **la voir tomber :**
vous serez exposé au danger

si elle entre par la fenêtre :
désaccord en famille

GRENOUILLES **les voir :**
méfiez-vous des hommes trompeurs et fascinants

les tuer :
vous atteindrez une position de prestige. Richesses

les entendre coasser :
vous recevrez bientôt de bonnes nouvelles
gaieté

les manger :
reconnaissances et honneurs vous seront conférés

GRILLAGE **le voir devant soi :**
vous devrez faire face à des difficultés et à des oppositions avant d'arriver à votre but

GRILLE **la voir fermée :**
vous aurez un gros obstacle à franchir

la voir ouverte :
on vous fera une intéressante proposition de travail

GRILLON **l'entendre :**
vous avez plein d'amis et vous ne travaillez pas

GRIMPER **sur un arbre :**
vous parviendrez à une position de prestige mais auparavant il vous faudra franchir maintes difficultés

voir d'autres personnes en train de grimper :
méfiez-vous des individus sans scrupules

sur un rocher ou sur un mur :
vous serez l'objet de calomnies et votre route sera barrée par une foule d'obstacles

GRONDER **quelqu'un :**
vous perdez en vain un temps précieux

être grondé :
vous éprouvez des remords pour une action déloyale commise il y a longtemps

GROSEILLES **les manger :**
aventure, sensualité, début d'une relation amoureuse

les cueillir :
vous trouverez le bonheur et la chance après bien des peines

les voir :
ne laissez pas s'échapper une très bonne occasion

GROSSESSE **être enceinte :**
le destin vous sera favorable (seulement s'il s'agit du rêve d'une femme)
relaxez-vous
les rapports sexuels vous font peur

voir une femme enceinte :
vous aurez une expérience désagréable

avoir une grossesse difficile :
vous avez peur du sexe

GROTTE **s'y trouver :**
une personne amie vous abandonnera. Trahison

marine :
mariage sans amour

GUEPES **en être piqué :**
vos ennemis sont cruels et dangereux
embêtements et chagrins

les voir :
vous recevrez une nouvelle désagréable

GUERRE **s'y trouver :**
bagarres en famille et rupture des liens familiaux

la voir :
chagrins d'amour et grandes peines

GUIDE **le voir :**
vous êtes hésitant et vous ne savez pas quelle décision prendre. Vous avez besoin de l'appui des autres. Ayez davantage confiance en vous

GUILLOTINE **la voir :**
reconnaissances et honneurs vous seront décernés

être guillotiné :
vous perdrez un enfant

GUIRLANDE **de fleurs :**
vous recevrez une heureuse nouvelle
héritage

de feuilles :
vous parviendrez à la célébrité et aux honneurs

en or :
vous menez une vie mondaine

la tresser :
vous mettrez en contact deux personnes qui s'aiment

de palmes :
chance, prospérité, mariage, fécondité

GYMNASTIQUE **la faire :**
vous ferez bientôt un voyage favorisé par le destin

H

HABILLER (S') **avec soin et recherche :**
en réalité vous vous négligez, vous devez soigner davantage votre mise

HABITATION **en avoir une vieille et en mauvais état :**
vous vous lancerez avec succès dans de nouvelles activités

en avoir une moderne :
vous prendrez du grade et vous aurez plus d'autorité

HABITS **adaptés à la saison et à la situation :**
chance, vous ferez de bonnes affaires

inadaptés à la saison et à la situation :
ruine

trop étroits :
honte, vous menez une vie équivoque

indécents et ridicules :
si vous n'appartenez pas au monde du spectacle,

c'est un présage de mauvais augure, blâme et échec

habit de moine :
vous serez couvert d'honneurs

blancs :
vous jouerez de malchance

noirs :
vous aurez une bonne santé et du succès dans votre profession

rouges :
vous êtes gai, entouré d'amis et sous d'heureux auspices

si un homme porte des habits de femme :
vous aurez une fâcheuse et triste aventure

porter des habits tachés de sang :
vous acquerrez richesses, honneurs et pouvoir

porter l'habit de mariée :
si vous jouez, vous gagnerez au loto

HACHE **l'utiliser :**
attention à un danger menaçant
vous serez calomnié. Querelles

abattre des arbres ou fendre du bois :
accroissement continuel du bien-être

HAIE **la trouver sur son chemin :**
vous devrez surmonter bon nombre d'obstacles

la sauter :
vous êtes très actif et vous réussirez à atteindre votre but

de baies comestibles :
vous ne manquez jamais de profiter des bons moments de la vie
vous possédez une nature sensuelle et douce

HAMEÇON **le voir :**
faites attention car vous serez trompé

HARICOTS **blancs :**
il y aura beaucoup de bruit pour rien

rouges :
vous vous montrerez courageux
dans le rêve d'une femme : fertilité

les cueillir :
vous résoudrez des situations épineuses

les cuisiner :
vous vous trouverez en difficulté du point de vue financier

les manger :
vous devrez traverser des moments désagréables
querelle

les voir pousser :
vous réaliserez un de vos désirs

HARPE **jouer de la harpe :**
la chance vous sourira, les joies seront présentes et ainsi vous pourrez cicatriser quelques-unes de vos blessures

HATE **être pressé :**
vous recevrez des hôtes

HAUTEUR **y monter :**
vous aurez une discussion avec quelqu'un

HERBE **voir un pré vert :**
votre conseil portera bonheur à quelqu'un
gardez-vous d'une personne infidèle

la faucher :
vous redresserez votre situation financière

y être allongé :
c'est le début d'une période particulièrement heureuse

sèche :
vous êtes faible, risque de maladie bénigne

mauvaise :
(voir **Chiendent**)

HERISSON **le voir :**
vous êtes jaloux de votre conjoint et vous avez raison
contrariété et désagréments

HERITIER **rêver d'hériter :**
vous perdrez beaucoup d'argent

donner un héritage :
vous vous sortirez d'une situation embarrassante

HETRE **le voir :**
un ami fidèle restera toujours auprès de vous

HEURTER **être heurté :**
vous subirez des pertes d'ordre financier

quelqu'un :
lorsque vous voulez atteindre un but vous ne vous faites pas trop de scrupules
vous êtes insensible

HIBOU **l'entendre :**
vous recevrez une mauvaise nouvelle

le voir :
vos affaires stagnent. Vous êtes actuellement en pleine inactivité

HIRONDELLES **les voir voler :**
c'est un triste présage si c'est une personne jeune qui fait ce rêve
pleurs et mélancolie

au nid :
vous serez soudainement au comble de la joie

les entendre gazouiller :
vous recevrez une bonne nouvelle

HIVER **rigide :**
si vous vous mariez vous serez malheureux.
Vous aurez un mari ou (une femme) froid(e) et inconstant(e)
si vous êtes déjà marié, vous aurez des chagrins

HOMICIDE **le commettre :**
vous êtes en danger de mort

le voir commettre :
vos affaires seront favorisées par le destin. Richesses et bonheur

HOMME **le voir :**
dans le rêve d'une femme et si l'homme se comporte d'une manière affectueuse, le désir que vous avez d'être protégé et sécurisé sera comblé

voir un inconnu :
vous serez la proie d'aventures faciles

en voir un défilé :
vous vous lancerez dans une folle entreprise sans espoir

HONNEURS **rendus ou reçus :**
vous êtes méfiant et pas très loyal

HONTE (avoir) **de quelque chose :**
la chance vous accompagnera dans votre profession bien que vous ayez des remords pour une action déloyale commise au détriment de quelqu'un

HOPITAL **s'y trouver :**
contrôlez votre état de santé. En réalité vous vous portez comme un charme mais vous y pensez trop. Ne seriez-vous pas le malade imaginaire typique ?

être dans un hôpital avec d'autres malades :
maladie grave. Il est probable que vous ayez à soigner une dépression nerveuse

HOQUET **avoir le hoquet :**
on vous fera un affront

HORLOGE **une horloge qui bat les heures :**
vous êtes vénal et vous vous adonnez surtout à votre travail

la remonter :
n'oubliez pas un rendez-vous

cassée ou arrêtée :
vous avez un grave problème

la trouver :
vous ignorez la ponctualité

d'un clocher :
vos amis vous tiennent en grande estime

la voir tomber et se casser :
souffrance, maladie

lire les heures :
chance, bonne santé

HOSTIE **la voir, la manger :**
paix, foi en Dieu

HOTEL **dans des lieux inconnus :**
vous arrivez à un tournant décisif de votre vie

si des inconnus et personnes sans visage y déambulent :
prenez garde aux personnes qui vous entourent soyez plus attentif

HUILE **la boire :**
maladie

la verser par terre :
il vous arrivera malheur

les saintes huiles :
vous aurez une longue vie

la voir répandue :
vous perdrez beaucoup d'argent

recueillir de l'huile répandue :
chance et bonheur

HUITRE **la manger :**
vous aurez une grossesse heureuse

fermée :
vous êtes froid et inconstant avec la personne aimée

ouverte :
vous vivez un amour heureux

HURLEMENT **l'entendre :**
vous souffrirez d'un pénible malaise mais vous en guérirez vite

HURLER **entendre des chiens ou des loups hurler :**
péril imminent. Catastrophe naturelle

HYMNE **le chanter ou l'écouter :**
vous traversez une période difficile, pleine de problèmes dans tous les domaines

HYPNOTISER **quelqu'un :**
vous serez à la fois sage et savant

être hypnotisé :
quelqu'un vous apprendra à vivre et à vous sortir d'un mauvais pas, si besoin en est

I

IDOLE **le rêver :**
c'est un funeste présage

l'être :
ne cherchez pas l'impossible, soyez raisonnable
vous souffrez d'un gros complexe d'infériorité

ILE **s'y trouver :**
vous êtes très seul. Vous avez soif de voyages et d'aventure
vous êtes insatisfait sur le plan sexuel

IMBERBE **l'être :**
si cela ne correspond pas à la réalité vous vous créez des problèmes inutiles et vous manquez de sincérité

IMMEUBLE **le voir :**
vous êtes tourmenté par l'indécision et mécontent de vous-même. Choisissez votre objectif, la façon d'y parvenir et vous y réussirez

habiter dans un immeuble moderne :
votre orgueil est démesuré

habiter dans un immeuble ancien :
misère et douleur

le recevoir en cadeau :
vous aurez une surprise agréable et inattendue

le construire :
vous êtes trop ambitieux. Cela sera cause de malchance et de douleurs

IMPERMEABLE **le porter :**
vous vous trouverez dans une situation difficile mais vous arriverez à en sortir

IMPOTS **les payer :**
vous êtes un homme digne d'estime mais il vous faudra affronter des moments difficiles

IMPRIMER **voir quelqu'un :**
vous bavardez trop. Bientôt tout le monde sera au courant de vos secrets

INAUGURER **quelque chose :**
vous débuterez dans une nouvelle entreprise

INCENDIE (voir **Feu**)

le provoquer :
ruine

INCESTE il se produira de graves désaccords en famille

INCLINER (S') **devant quelqu'un :**
vous occuperez une position de second plan

voir une personne qui s'incline devant vous :
vous recevrez des honneurs

voir quelqu'un s'incliner :
la célébrité et la fortune vous sont destinées

INCULPER **quelqu'un :**
votre santé est chancelante, il faut vous soigner

soi-même :
vous êtes respectueux et heureux

le (ou la) conjoint(e) :
vous recevrez une mauvaise nouvelle

INONDATION **de sa maison :**
discussions en famille. L'harmonie ne règne pas chez vous

d'eaux limpides et tranquilles :
vous acquerrez de nouveaux biens

INSECTES **en être couvert :**
des préoccupations et des ennuis se préparent pour vous

les voir :
vous subirez une petite perte d'argent

en être piqué :
vous vous faites duper, vous êtes trop crédule

INTERROGER **quelqu'un :**
on vous épie continuellement

INTESTINS **les voir en bon état :**
la santé, la force et la vigueur vous accompagneront

les voir malades :
pauvreté, maladie bénigne

être éventré :
si les intestins sont sains : vous aurez beaucoup de chance
s'ils manquent : malheur, abandon de la patrie, ruine des enfants
mort dans le rêve d'un malade : guérison rapide

INVALIDE **le voir :**
votre santé est en péril

l'être :
vous vous retirerez bientôt de votre fonction

INVENTER **quelque chose :**
vous perdrez beaucoup d'argent

INVITATION **la recevoir :**
vous êtes ambitieux

la faire :
vous participerez à une fête

IVOIRE **rêver d'objets en ivoire :**
aisance, richesse

IVRE **se voir soi-même :**
maladies mentales, malchance et gros obstacles à franchir

voir quelqu'un :
vous êtes insatisfait de votre condition présente mais une amélioration ne tardera pas à apparaître

J

JACINTHES **les recevoir :**
vous recevrez un cadeau qui vous plaira

JAGUAR **le voir :**
il vous arrivera un malheur mais quelqu'un vous apportera un grand réconfort

JAMBES **les bouger avec difficulté :**
des soucis et des douleurs vous affligent

les avoir parfaites :
vous éprouverez une joie inespérée

en perdre une :
un de vos chers amis mourra

les casser :
malchance dans votre profession

gonflées :
vous perdrez de l'argent

blessées :
une disgrâce se produira

artificielles :
vous serez trompé

JAMBON **le manger :**
vos affaires seront plus calmes, difficultés financières

JARDIN **fleuri :**
vous aurez une surprise agréable

dépouillé :
impuissance, chagrins

suspendu :
vous avez reçu une éducation rigoureuse. Vous êtes loyal

s'y promener :
votre vie est très heureuse

voir un jardinier qui y travaille :
richesse et chance

JARRETELLE **la voir :**
vous serez chanceux en amour
ne profitez pas d'une situation car elle se retournerait contre vous

cassée :
des liens sentimentaux qui semblaient devoir durer une éternité se rompront pour une bêtise

JASPE **le voir :**
fidélité et constance dans les résolutions prises

JESUS **le voir :**
si vous faites de grands sacrifices, vous serez récompensé

JEUNE **le redevenir :**
vous êtes trop vaniteux et vous serez critiqué

voir des jeunes :
vos enfants auront une bonne situation

du sexe masculin :
les astres sont avec vous

du sexe féminin :
vous aurez des problèmes

JEUNER vous êtes sans moyens et malheureux

JOUER **aux cartes :**
vous tromperez quelqu'un

avec des jouets :
coup de foudre, bonheur durable

voir des jouets :
vous éprouverez des remords

JOUES **les avoir douces et bien remplies :**
grande joie

creuses et ridées :
c'est un signe de mélancolie et de larmes

fardées :
vous vous trouverez dans une situation embarrassante

JOURNAL **le lire :**
vous recevrez bientôt de bonnes nouvelles

le recevoir :
évitez d'être intrigant et trop curieux

JOURNAL (intime) **le tenir :**
vous tomberez malade

JUGER **être jugé par un bon juge :**
vous serez sévèrement jugé et blâmé à cause de la manière dont vous vous êtes comporté

être jugé par un juge à l'air renfrogné :
vous serez importuné

être jugé par un juge surnaturel :
vous trouverez une aide inespérée lors d'une controverse

JUIF **le voir :**
bonnes affaires, vous ferez un voyage

avoir affaire avec lui :
colères, problèmes

s'il vous rend service :
vous aurez tout à coup la chance avec vous

JUMEAUX **les voir :**
une agréable surprise vous attend

qui jouent :
votre vie familiale est sereine

JUPE **la voir :**
vous serez attiré par une femme malicieuse et astucieuse

la porter :
malchance et mort, seulement si c'est un homme qui fait le rêve. Autrement, cela ne veut rien dire de spécial

JURER (blasphémer)

parlez moins

JURER **quelque chose :**
vous devrez témoigner à un procès

entendre jurer :
vous dominerez d'autres personnes

voir un juré :
vous perdrez l'estime et l'honneur

L

LABORATOIRE **chimique :**
douleurs physiques et maladies vous affligeront

LABYRINTHE **ne pas en trouver la sortie :**
vous aurez des ennuis et des chagrins
vous avez un caractère faible et vous vous créez des problèmes pour rien

réussir à en sortir après de grands efforts :
vous surmonterez les difficultés qui se présentent dans votre travail

LAC **se trouver sur la rive :**
si l'eau est calme et limpide : la chance sera avec vous dans les affaires
votre femme sera infidèle

y nager :
vous êtes en danger. Malchance

y naviguer :
vous ferez un voyage chanceux. Vous êtes très heureux

LACER **quelque chose :**
vous nouerez des liens sentimentaux avec quelqu'un

LAINE **tricoter :**
quelqu'un se moque de vous

la voir :
un ralentissement se produira dans votre activité

l'acheter :
il vous faudra faire face à des difficultés mais vous n'aurez pas de mal à les surmonter

LAIT **le voir :**
chance, mais surveillez votre santé

de chèvre :
maladie bénigne

l'acheter :
joies et richesses

le boire :
vous dépensez trop d'argent inutilement

le renverser :
la nouvelle année vous sera bénéfique

le faire déborder :
vous êtes entouré de personnes malveillantes

LAITON vous possédez un objet qui semblait précieux mais qui en réalité a peu de valeur

LAITUE **la voir :**
vous perdez votre temps avec des choses inutiles et vous négligez les plus importantes

la manger :
attention à votre santé. Maladie bénigne

LAMPE **l'allumer :**
si la lumière est vive : vous vous enrichirez
si la lumière est pâle : vous perdrez de l'argent

la porter :
la voie que vous avez choisie est la bonne

LANCE **la voir :**
un péril vous menace

la lancer :
méfiez-vous de quelqu'un qui fait partie de votre entourage

LANCE-PIERRES **le voir :**
vous avez autour de vous des personnes déloyales et perfides

l'utiliser :
vous devrez vous défendre dans une circonstance désagréable

LANGUE **la voir :**
vous vous occupez trop des autres et parfois même vous êtes cancanier

normale et saine :
signe de chance

collée au palais et vous empêchant de parler :
vous devrez affronter de gros obstacles

gonflée :
maladie

poilue :
malchance, maladie

LANTERNE (voir **Lampe**)

magique :
quelqu'un est en train de vous duper

LAPIN **le voir :**
vous êtes faible en amour
vos passions s'éteignent aussi vite qu'elles s'allument. Vous êtes un inconstant

le tuer :
vous serez trompé par de faux amis

LARD **frais :**
chance et prospérité

salé :
quelqu'un fait des médisances sur votre compte
mais votre honnêteté vaincra

le manger :
vous serez transporté de joie

le couper :
un deuil surviendra dans votre famille

le faire fondre :
soyez plus prudent

LARMES **rêver de pleurer :**
une joie inattendue se prépare pour vous

LASSO **le voir :**
vous serez trompé

y rester pris :
vous célébrerez bientôt vos noces

LAURIER **le voir :**
célébrité, honneurs et richesses vous seront accordés

feuilles :
vous épouserez quelqu'un de riche

guirlandes :
vous serez récompensé
vous êtes doté d'un tempérament artistique mais peu altruiste

LAVANDE **la voir, la sentir :**
vous éprouverez une grande douleur

LAVER **se laver :**
vous acquerrez des richesses

laver quelqu'un :
soyez plus patient en famille

dans de l'eau propre :
richesse, prospérité, santé

dans des eaux thermales :
santé mais inactivité et oisiveté

LECHER **être léché :**
vous êtes adulé

quelqu'un :
vous êtes trop soumis et vous vous laissez tromper par tout le monde

LEÇON **y assister :**
votre instruction laisse beaucoup à désirer

la faire aux autres :
vous êtes exhibitionniste et vaniteux et cela vous créera bien des ennemis

LEGUMES **les manger, les voir :**
vous serez très malchanceux

les cultiver :
vous êtes aimé
joies familiales

les cuire :
problèmes et ennuis

LENTILLES **les manger :**
vous aurez beaucoup de soucis du point de vue financier

les faire cuire :
vous vous sortirez d'une situation dangereuse

LEOPARD **le voir :**
attention à un danger. Vous aurez très peur

LETTRE **la recevoir :**
vous vous réjouirez énormément

en recevoir une illisible :
quelqu'un trame quelque chose de louche dans votre dos

écrire à un ami :
vous négligez vos amis. Vous êtes trop égoïste

recevoir une lettre dont le contenu est clair :
chance et satisfactions dans votre profession

LEVRES **belles, saines :**
vous vivez dans l'aisance et la sécurité

pâles :
vous êtes trop irascible

coupées :
quelqu'un vous trahit

LEZARD **le voir traverser une rue :**
un ami veut vous donner un conseil désintéressé

le voir au bord d'une rue ou sur un rocher :
méfiez-vous, des personnes malfaisantes sont sur le point de vous tendre un piège

LICENCIEMENT **être licencié :**
vous êtes un peureux. Affrontez les situations avec plus de courage, de résolution et d'application

licencier quelqu'un :
vous vous libérerez d'une personne importune

LIEGE **le voir, s'en servir :**
vous êtes irréfléchi et inconséquent en affaires

LIER **quelque chose :**
vous aurez affaire à la justice

se faire lier ou être lié :
vous aurez rendez-vous avec la personne aimée
aventure

LIERRE **en recevoir un pot ou en ramasser un rameau ou en tenir dans la main :**
vous avez une amitié fidèle et durable

le planter :
une personne vous aidera à fonder les bases d'une amitié solide

en faire une guirlande :
quelqu'un de votre entourage mourra

LIEVRE **le voir :**
saisissez l'occasion qui passe avant qu'elle ne vous échappe

le manger :
dispute

le tirer :
vous aurez un embêtement au cours d'un voyage

LIGNE **la voir :**
attention, quelqu'un veut vous tendre un piège

LIME **la voir :**
vous êtes trop superficiel et approximatif
appliquez-vous davantage dans votre travail

LIMITES **les tracer :**
vous voulez vous éclaircir les idées

les voir :
il vous faudra franchir quelques obstacles

LINGE **mis à sécher :**
il vous faudra affronter des commérages faits sur votre compte

sale et exposé :
vous perdrez un procès

dans une armoire :
vous réussirez à vous assurer le bien-être matériel

LION **être assailli :**
vous aurez des discussions avec la personne aimée. Vous êtes trop autoritaire et vous voulez toujours vous imposer

se battre avec et le vaincre :
vous triompherez d'un ennemi dangereux

doux :
vous rencontrerez une personne loyale qui sera votre amie

LIRE **des livres :**
vous manquez de maturité

des lettres :
chance

des journaux :
(voir **Journal**)

LIT **être étendu sur un lit propre et bien fait :**
vous tomberez malade

le casser :
vous désirez divorcer de la personne avec laquelle vous vivez car vous ne l'aimez plus il se peut que vous appréhendiez les rapports sexuels

le voir :
votre bonne étoile sera avec vous dans le travail

vide :
vous aurez une déception amoureuse

LITIGE la situation est sur le point de changer. Soyez prudent et en garde contre des personnes malveillantes

avec des amis :
chagrin

avec le conjoint :
votre mariage sera heureux

avec une personne du sexe opposé :
vous tomberez amoureux

LIVRE **le lire :**
vous acquerrez les honneurs et la gloire

l'acheter :
vous aurez de nouvelles connaissances

le brûler :
vous perdrez l'amitié d'une personne cultivée et sensée

le manger :
dans le rêve d'un jeune ou d'un philosophe : chance
pour tous les autres ce songe prédit une mort prématurée

LOCOMOTIVE **la voir :**
vous éprouvez un désir ardent de voyager
une passion vous dévorera à l'improviste

qui déraille :
malheur

LOMBRIC **le voir :**
vous êtes quelqu'un d'honnête, aussi ne vous laissez pas tromper par des gens malhonnêtes et sans scrupules

LOTERIE **y participer :**
perte d'ordre financier

voir les chiffres de la loterie :
s'ils sont énumérés par un défunt, jouez-les.
Autrement vous perdrez

LOUANGE **l'entendre :**
quelqu'un dit du mal de vous

la chanter :
vous êtes une personne loyale et cela vous rendra la vie sereine

LOUER **une maison :**
vous serez trahi par un ami qui vous est cher

LOUPE **lentille grossissante :**
gardez-vous de gens qui veulent vous berner

l'acheter :
soyez attentif et prudent

la casser :
on vous nuira

LOUPS **être assailli :**
ennemis, souffrances

les entendre hurler :
la situation est dangereuse et désagréable

les voir :
les temps qui s'annoncent seront hérissés de difficultés

LUCIOLES **les voir :**
vous recevrez une preuve d'amour mais ne vous faites pas trop d'illusions car ce sera quelque chose d'éphémère

LUMIERE (voir **Lampe**)

être inondé d'une lumière soudaine et intense :
vous vivrez dans un monde illusoire et éphémère

LUNE **s'y trouver :**
chagrins et maladies
vos désirs chimériques vous rendront malheureux

pleine :
bonheur dans le domaine amoureux, vous acquerrez de nouvelles richesses grâce à une femme

y voir sa propre image :
vous aurez un enfant

LUTTE **en sortir victorieux :**
chance

avec un ami ou un parent :
haine à son égard et dispute imminente

avec un inconnu :
maladie, danger

avec un enfant :
si c'est l'enfant qui triomphe : maladies
si c'est le rêveur qui gagne : deuil dans la famille

avec une personne morte depuis longtemps :
disputes en perspective avec la famille d'une personne morte depuis longtemps

LYS **les cueillir :**
vous vivrez un amour sensuel

en voir des blancs :
votre amour est fidèle

de couleur :
vous serez trompé

M

MACARONIS **les manger :**
prospérité et abondance

les manger en compagnie :
réconciliation en famille

MACHINE **à écrire :**
vous vous réconcilierez avec quelqu'un

à coudre :
vous résoudrez rapidement un problème

vieille :
prospérité, richesse

MACHOIRE **la voir :**
vous aurez une longue vie

MADONE **la voir :**
vous serez consolé de vos peines

MAGASIN **rempli de monde :**
vous conclurez de bonnes affaires. Bien-être

y aller :
grosses dépenses

le voir :
pour l'instant, vous n'avez pas d'argent mais votre situation ne tardera pas à s'améliorer

le voir fermé :
vos affaires vont mal

MAGICIEN **le voir :**
vos affaires vont bien mais prenez garde car quelqu'un veut vous escroquer

MAIGRIR danger de maladie, vous êtes au bord de la dépression

voir quelqu'un maigrir :
vous vous enrichirez aux dépens d'autrui

MAILLES **voir un filet :**
grande passion pour une femme
amour sensuel

MAINS **belles, fortes :**
vous mènerez à terme des affaires importantes

sales :
vous êtes hypocrite et voleur

blanches, très pâles :
coquetterie

perdre la main droite :
perte d'un fils, du père ou d'un grand ami

perdre la main gauche :
vous perdrez votre femme ou votre sœur ou une amie très chère

douloureuses :
vous pleurerez

sanglantes :
séparation, perte d'amis

MAISON **solide :**
vous êtes aimé et vous goûtez les joies intenses de la famille

petite :
sérénité et joie

grande :
bonheur, abondance et richesses. C'est le moment d'oser et de vous lancer dans de nouvelles affaires

se trouver dans une maison inconnue et vide :
vous aurez des discussions en famille
renouvelez-vous et soyez plus dynamique, vous en avez besoin
vous vous sentez entravé par votre famille

MAITRE **d'école :**
vous avez encore beaucoup à apprendre

de musique :
vous réussirez dans une activité artistique

d'armes :
querelle

à danser :
vous aurez de la chance en amour

professeur de langues :
le prochain voyage que vous ferez sera dans un pays lointain

MAITRESSE (voir **Amant(e)**)

MAL **à la tête :**
vous êtes inconstant en amour

à l'estomac :
vous commettez des erreurs dans votre alimentation

aux yeux :
on veut vous duper

MALADE **l'être :**
vous êtes triste et mélancolique, vous avez soif d'affection et de compréhension

voir un membre de la famille malade :
si vous êtes au chômage, c'est à votre paresse qu'il faut vous en prendre

lui rendre visite :
la personne à qui vous rendez visite dans le rêve est triste et abattue

voir un enfant malade :
vous aurez des problèmes en famille

MALLE **la transporter :**
certaines de vos espérances ont été déçues

la perdre ou en être volé :
vous aurez des incertitudes dans votre travail

MAMELLES (d'un animal)

les voir :
vous aurez de la chance et vous vivrez dans le bien-être

gonflées de lait :
c'est une prédiction de bonne santé, de richesse et de carrière rapide

MANDARINE **la manger :**
plénitude et richesse

MANGER **des aliments cuisinés par le rêveur :**
chance et prospérité

un mets appétissant mais au mauvais goût :
déception amoureuse

de la viande :
gains considérables

des gâteaux ou des fruits :
aventure amoureuse

des légumes ou de la salade :
attention à votre santé

MANSARDE **habiter dans une mansarde moderne :**
vous ferez de grandes choses

la voir en ruine :
vous déménagerez

être emprisonné dans une mansarde :
malchance, il est possible que vous soyez condamné et incarcéré

MANTEAU **trop grand :**
tristesse

le perdre :
vous aurez des soucis

troué ou déchiré : on a pitié de vous

voir quelqu'un l'enlever :
vous serez mortifié

MARBRE **le voir :**
des hommes durs et sans cœur vous rendent triste

MARCHE **en voir un en pleine activité :**
vous perdrez de l'argent

le voir peu fréquenté :
la chance vous sourira si vous êtes dans le commerce

y rencontrer quelqu'un que vous connaissez :
on colportera des ragots sur vous

MARCHER **en descente :**
le succès vous sera assuré sans aucune difficulté

monter une côte :
vous parviendrez au résultat souhaité mais en peinant énormément

à toute vitesse :
vous aurez des obstacles à franchir

dans la saleté :
vous êtes trop avare et cela vous crée des préoccupations

MARECAGE **s'y trouver, le voir :**
il vous faudra vaincre des difficultés, des privations, des maladies et la pauvreté

s'y enfoncer :
un danger vous menacera. Prenez garde

MARI **le voir :**
si vous êtes encore célibataire, vous vous marierez bientôt
même si vous aspirez au mariage, vos espoirs seront déçus pour le moment

en avoir un :
si le mari que vous avez en rêve n'est pas le vôtre : trahison

MARIAGE **voir son propre mariage :**
dans le rêve d'un malade, cela signifie la mort
si vous venez d'entreprendre une nouvelle activité, la chance sera avec vous
aux autres ce songe prédit des problèmes, des troubles, un bonheur de courte durée

voir le conjoint se remarier :
vous vous séparerez ou vous changerez de métier

se voir soi-même en train de se remarier :
vous divorcerez ou votre conjoint mourra

avec une personne jamais vue ou sans visage :
il vaut mieux que vous abandonniez les nouvelles entreprises et que vous concentriez tous vos efforts dans l'activité passée

assister à un mariage :
noces imminentes ou satisfactions en famille

MARIONNETTES **y jouer :**
vous n'êtes pas très sérieux

les voir :
vous êtes entouré de personnes malveillantes
vous donnez trop d'importance aux choses extérieures

MARMITE **la voir :**
vous subirez un préjudice
votre conjoint est très jaloux

sur le feu :
vous recevrez des visites inutiles et embêtantes

MARRONS GRILLES **les manger :**
vous traversez une période de chance et de bonheur

MARTEAU **le voir :**
vous vous faites du souci, la situation est désagréable

l'utiliser :
sensualité, passion ardente

en être frappé :
on vous demandera de l'argent avec beaucoup d'insistance

MASQUE **voir quelqu'un en porter un :**
méfiez-vous, on veut vous tromper

le voir :
trahison

MASSER **être massé :**
vous avez de légères préoccupations

quelqu'un :
vous parviendrez à une assez bonne position économique
faites preuve de courtoisie et de modération

MASTURBER (SE) **se voir :**
vous aurez des pertes d'ordre financier
vous êtes très malheureux et insatisfait

MEDAILLE **la recevoir :**
vous êtes très vaniteux et égocentrique

la donner :
honneurs et reconnaissances vous seront décernés

MEDECIN **avoir à son chevet un médecin qui vous assiste :**
légère indisposition

s'il vous fait avaler un médicament :
vous aurez un chagrin

s'il fait avaler un médicament à autrui :
la joie et la prospérité vous accompagneront dans votre travail

MELONS **les voir :**
vous vous faites de vaines illusions, soyez plus concret

les manger :
vous vous préoccupez de choses inutiles

les acheter :
vous êtes crédule et vous ne savez pas distinguer les vrais amis des faux

en voir beaucoup :
médiocrité dans votre travail

MENACER **quelqu'un :**
ne soyez pas injuste ou vous ferez du tort à quelqu'un qui ne le mérite pas

MENDIANTS **l'être :**
vous perdrez un procès
vous n'avez pas beaucoup confiance en vous
soyez plus indépendant

en voir un frapper à la porte :
richesse et tranquillité économique

leur donner de l'argent et les réprimander :
cadeau : vous serez récompensé d'une bonne action que vous avez faite

MENOTTES **les avoir :**
vous aurez affaire avec la justice

les voir sur autrui :
mauvaises nouvelles

les mettre à quelqu'un :
vous éliminerez un ennemi dangereux qui vous barrait la route

MEPRISER **quelqu'un :**
on vous a fait injustement du tort

être méprisé :
votre carrière sera rapide et heureuse

MER **agitée :**
le cœur domine votre raison
votre vie sera tumultueuse

calme :
sérénité et succès dans les affaires

marcher sur l'eau :
mariage heureux

y naviguer :
vous connaîtrez des pays étrangers, vous êtes très audacieux

MERE **la voir :**
vous vous trouvez en sécurité et protégé même si vous aimeriez que votre conjoint soit plus prodigue d'affection

voir sa mère déjà morte :
vous aurez une longue vie. Si elle vous parle, croyez en ce qu'elle vous dit

la voir mourir :
elle vivra longtemps

MESSE **l'écouter :**
tranquillité et chance. C'est un signe de bon augure

METEORITE **la voir :**
vous avez de la fantaisie et un sens artistique très développé
vous serez au comble de la joie mais pour peu de temps

METIER **tisser sur :**
votre constance et votre zèle vous donneront une bonne position sociale et économique que vous aurez bien méritée

MEUBLES **les voir porter hors de la maison :**
changement de vie

les voir beaux et bien cirés :
vous avez un esprit ordonné et lucide

les acheter :
vous acquerrez une nouvelle maison

MICROSCOPE **s'en servir :**
vous êtes trop tatillon. Vous vous mettez en colère pour un rien

MIEL **le manger :**
vous vivez un amour heureux

le voir :
abondance et richesse

MILLET **le voir :**
vous aurez une chance inespérée

le manger :
pauvreté, famine, moyens modestes

MINE **y travailler :**
vous faites un travail dur mais vous parviendrez à l'aisance

s'y trouver :
chance et richesse

la voir :
la chance sera bientôt là. Accroissement des biens

de charbon :
vous épouserez un riche veuf

d'or :
vous vivez dans l'abondance et le bien-être
vous réglerez de bonnes affaires

MIRACLE **le voir :**
quelqu'un se moque de vous

MIROIR **s'y regarder :**
votre mariage sera réussi. Les enfants et la gaieté seront présents dans le cercle familial
dans le rêve d'un malade ce songe prédit la mort

y voir une autre image que la sienne :
vous aurez des enfants illégitimes

se voir plus laid :
infirmité, tristesse, mélancolie

se regarder dans l'eau :
mort du rêveur ou d'un de ses amis les plus chers

le casser :
vous n'arriverez pas à réaliser vos ambitions

MISSIONNAIRE **le voir :**
on vous fera un cadeau que vous n'attendiez pas

MITES **les voir en train de ronger des vêtements :**
soyez en garde contre des personnes hypocrites
qui veulent vous duper et vous nuire

MIXEUR **y mettre quelque chose et l'actionner :**
calmez-vous, vous êtes trop agité et anxieux

le recevoir en cadeau :
vous avez un ami déloyal

le casser :
vous vivrez un amour heureux

MODE **voir un défilé :**
quelqu'un s'éprendra de vous
vous ferez des conquêtes

MOINE **le voir :**
vous aspirez à la sérénité
la situation actuelle est désagréable

être un moine :
modestie, esprit de sacrifice, vous aurez des joies
petites mais vraies

MOINEAUX **les voir :**
une affaire que vous aviez projetée s'évanouira en
fumée
soyez plus réaliste et précis

en voir toute une bande :
malchance, ennuis

les voir voler :
on vous fera des promesses qui ne seront pas tenues

les attraper :
événement inattendu

les entendre :
quelqu'un cancane à votre sujet

MOLLETS **blessés ou gonflés :**
soucis et pertes possibles d'ordre financier
malchance

sains et normaux :
vous franchirez avec facilité les obstacles qui se trouveront sur votre chemin
activité intense

MOMIE **la voir, lui parler :**
vous aurez de violentes et désagréables discussions que vous préféreriez éviter

MONSTRE **le voir :**
qu'il soit humain ou animal, c'est de toute façon un funeste présage
vous n'arriverez à concrétiser ni vos espoirs ni vos désirs

MONTAGNE **y grimper :**
cela vous coûtera des efforts mais vous aurez une nette amélioration du point de vue financier

MONTER **grimper sur une montagne :**
votre chemin est hérissé de difficultés.
Néanmoins une fois que vous aurez franchi les obstacles en peinant et en payant de votre personne,
vous atteindrez votre but

sur une échelle :
vous atteindrez votre objectif

sur un arbre portant des fruits en abondance :
richesses, plaisirs et amour viendront au bout de petites difficultés

MONUMENT **voir le sien :**
vous êtes égocentrique mais vous recevrez des honneurs

le voir :
vous vous préoccupez et vous vous fatiguez inutilement

MOQUER (SE) **de quelqu'un :**
vous passerez des jours agréables et heureux

si quelqu'un se moque de vous :
vous subirez une humiliation

MORDRE **être mordu par quelqu'un :**
vous attisez la haine de quelqu'un qui cherchera à vous nuire
maladie, il est probable que vous souffriez d'arthrite

être mordu par un animal :
malheur, deuil. Prenez des précautions car quelqu'un essaye de vous tromper

mordre quelqu'un :
vous êtes plein d'agressivité et vous vous sentez pris au piège par des personnes perfides
vous aurez de la chance

MORTS (voir **Défunt**)

les voir sans leur parler :
joies et fortune

s'ils se montrent hostiles :
ruine et tromperie

s'ils vous parlent :
c'est un signe de bon augure. Suivez leurs conseils

être poursuivi par la mort personnifiée :
vous aurez un mariage heureux

MOTEUR **le voir :**
vous réglerez de bonnes affaires. Tout se déroulera pour le mieux dans votre travail

MOUCHES **bourdonnantes :**
vous serez le sujet de bavardages et l'objet de tracasseries

MOUCHOIR **l'utiliser :**
problèmes, querelles, larmes

MOUDRE **du café :**
vous êtes d'un tempérament très passionnel aventure amoureuse

du blé :
gains importants

du poivre :
vous recevrez une nouvelle désagréable

MOULIN **le voir :**
chance

à vent (qui marche) :
le travail ne vous pèse pas

à vent (arrêté) :
votre paresse vous créera bien des inconvénients

MOURIR vous aurez une longue vie
un mariage est possible

voir quelqu'un mourir :
vous recevrez une bonne nouvelle

de faim :
vous avez peu d'amis véritables

MOUSSE **la voir :**
vous êtes instable et volage dans les affections amoureuses. Soyez plus fidèle et sincère

MOUSTACHES **les avoir longues et fournies :**
vous aurez beaucoup de chance

arrachées ou coupées :
le rêveur subira un préjudice tandis que celui qui les coupe ou les arrache sera favorisé par la chance

MOUSTIQUE **l'être :**
vous êtes une personne ennuyeuse, essayez de changer

le voir et en être piqué :
méfiez-vous car on veut vous tromper

MOUTONS **en voir un :**
vos affaires seront plus calmes. Vous aurez à subir des difficultés financières

voir un troupeau au pâturage :
votre situation actuelle est satisfaisante. Abondance, sécurité

les voir noirs :
vous avez un ami malveillant
tristesse

les voir blancs :
vous avez des amis sincères
chance

MUGUET **le recevoir ou le voir :**
vous recevrez un cadeau de la personne aimée

MULET **le voir :**
vous aurez des problèmes d'ordre financier

le chevaucher :
vous arriverez à conclure une affaire mais pour cela il vous faudra du temps et bien des efforts
voyage ennuyeux

chargé :
chance
vous recevrez de nombreux cadeaux

MUR **le voir :**
vous devez franchir un gros obstacle et vous n'avez pas l'espoir d'y réussir

y grimper :
vous arriverez à vaincre un obstacle qui vous semblait infranchissable

MURES **les manger à peine cueillies :**
plaisirs à profusion
vous aimez faire la coquette et vous êtes irrésistible
vous aimez séduire, vous êtes pleine de charme

MUSELIERE **la mettre :**
vous rendrez inoffensif un ennemi médisant

l'avoir :
l'inclination que vous avez pour les médisances pourrait vous nuire

MUSETTE (instrument de musique)

l'entendre ou la voir :
bonnes nouvelles mais grosses dépenses pour sortir d'une situation difficile

MUSIQUE **l'entendre ou la jouer :**
aisance. Vous serez consolé dans un moment de tristesse

N

NAGER (voir **Eau**)

ne pas savoir nager et risquer de mourir :
disgrâce

sauver quelqu'un dans l'eau :
grandes joies, chance dans tous les domaines

dans peu d'eau :
vous traversez un moment pénible

NAIN **le voir :**
gardez-vous de personnes déloyales et sournoises

l'être :
vous jouirez tout le temps d'une bonne santé

NAISSANCE **voir la sienne :**
chance et joies vous seront destinées

voir naître un ami qui est malade pour le moment :
son état empirera

voir naître quelqu'un :
bonheur et joies familiales

NARCISSE **le voir :**
quelqu'un vous sera infidèle

NARCOTIQUES **les prendre :**
vous tomberez malade
vous aurez de petits ennuis

NAUFRAGE **faire naufrage :**
angoisses et péril vous attendent mais le hasard vous permettra de résoudre la situation à votre avantage

NAVIRE **voyager sur une mer calme :**
chance, joie

voyager sur une mer agitée :
tristesse, problèmes

le voir sur la terre ferme :
des empêchements barrent la route à votre bien-être matériel. Grosses difficultés

le voir construire :
vous vivez un amour passager

le voir couler :
vous apprendrez une mauvaise nouvelle

le voir brûler :
grosse perte

ancré dans un port ou en mer :
ne cédez pas. Gardez votre point de vue

NEIGE **voir neiger :**
vous devrez reporter un voyage
vos affaires seront plus calmes
ajournez ce que vous aviez programmé depuis longtemps. Ce n'est pas encore le moment d'agir

en être enseveli et réussir à s'en libérer :
vous aurez provisoirement des difficultés financières

NETTOYER **quelque chose :**
vous êtes tatillon et vous désirez clarifier votre situation

être propre :
vous avez un complexe d'infériorité et vous n'êtes pas très sûr de vous

NEZ **avoir un grand nez :**
chance, bonheur et acuité d'esprit

être sans nez :
vous éprouverez des sentiments étranges et anormaux : haine
dans le rêve d'un malade : aggravation de la maladie

avoir deux nez :
vous vous disputerez avec des amis qui vous sont chers

NICHE **la voir :**
quelqu'un essaye de vous tromper

s'y trouver :
vous aurez une aventure sentimentale qui vous comblera. Bonheur

NID **voir un nid de serpents :**
vous êtes inquiet et peiné. Vous ferez une triste expérience

rempli d'œufs :
prospérité et richesse

voir un nid vide sur un arbre :
douloureuse séparation
si vous n'êtes pas encore marié, vous formerez vite une famille

d'oiseau :
vous vous réjouirez beaucoup

de guêpes :
vous subirez une perte

y trébucher :
malchance, triste et désagréable expérience

NOEL **le fêter :**
vous participerez à une fête joyeuse

le voir :
vous aurez d'importantes rentrées d'argent

NŒUD **le faire :**
vous réussirez une affaire nonobstant de grosses difficultés

le porter :
vous avez l'art de compliquer même les choses les plus faciles, soyez plus simple

NŒUDS **les faire :**
vous vous trouvez dans une situation embrouillée et compliquée

les défaire :
vous toucherez de l'argent
amélioration en ce qui concerne votre profession

NOIR **s'y trouver et dans des lieux inconnus :**
vous n'avez rien à craindre car bientôt vous aurez de bonnes nouvelles au sujet de votre travail

NOIX **les manger :**
vous serez troublé, vous vous disputerez
vous aurez du chagrin

les casser :
dispute passagère avec la personne aimée

les voir :
préoccupations

les cueillir :
vous aurez une difficulté momentanée

NOMBRES **les voir :**
jouez les numéros que vous avez rêvés :
vous aurez de la chance

les écrire :
vous êtes surchargé de travail

les effacer :
vous n'êtes pas sincère avec vous-même

NOMBRIL **le voir ou le toucher :**
quelque chose de désagréable vous arrivera
vous manquez de dynamisme, en outre vous êtes influençable, tout cela n'est pas très bon pour votre travail

NOTES (de musique) **les voir :**
un de vos désirs sera satisfait

les chanter ou les jouer :
vous ferez une expérience agréable

NOUER **un mouchoir :**
vous recevrez un héritage attendu depuis longtemps

une cravate :
vous gagnerez à la loterie et vous dépenserez immédiatement cet argent

NOURRICE (voir **Nurse**)

NOURRITURE **rêver de manger quelque chose :**
grand changement de situation pour vous

la refuser :
brève maladie

NOUVEAU-NE **le voir :**
vous serez comblé de joies en famille
changement en vue

NOUVELLE **la recevoir :**
vous apprendrez une bonne nouvelle

NOYER **se voir en train de se noyer :**
attention, danger de mort

assister à la noyade d'un ami ou d'un être cher :
il vous faudra fournir une aide financière
à quelqu'un

lentement :
problèmes avec la justice, chômage en vue

NU **se voir soi-même :**
votre situation économique est précaire
vous subirez un affront
vous souffrez d'un gros complexe d'infériorité

voir d'autres personnes nues :
bonheur et joies

marcher tout nu :
vous avez de nettes tendances à l'exhibitionnisme,
néanmoins vous êtes loyal et sincère

NUAGES **grands et blancs :**
prospérité, chance

noirs et chargés d'orage :
échec et mélancolie

s'ils bougent de bas en haut :
vous ferez un voyage chanceux

brillants :
c'est un présage de mauvais augure qui annonce
un malheur

NUIT **claire où l'on peut distinguer le contour des maisons :**
vous aurez du succès en amour et dans les affaires

sombre, sans lune :
vous serez malheureux

illuminée d'une façon insolite par la lune et les étoiles :
votre mariage sera particulièrement heureux

NURSE **la voir :**
vous vous sentirez calme et relaxé

O

OASIS **la voir, s'y trouver :**
au bout de bien des fatigues vous trouverez le repos et la joie, mais ne vous reposez pas sur vos lauriers

OBEIR **à quelqu'un :**
vous devrez peiner avant d'avoir ce que vous désirez
soyez prudent et évitez les fausses manœuvres

OBELISQUE **le voir :**
on vous proposera une affaire avantageuse

OBSCURITE (voir **Noir**)

OBSERVATOIRE **s'y trouver, le voir :**
vous serez mis au courant d'un secret

OCEAN **le voir :**
vous affronterez un très long voyage. Il vous faudra vaincre des difficultés, résistez car à la fin vous serez victorieux et heureux

ŒILLETS **les voir :**
vous possédez une nature passionnelle

les cueillir :
vous participerez à une fête amusante

ŒUFS **en voir un panier :**
abondance, aisance familiale. Vous réaliserez un désir secret

voir un panier d'œufs cassés :
disputes en famille

les manger :
légers avantages mais de nouveaux et graves problèmes à résoudre

OFFENSE **la subir :**
vous avez des remords pour quelque chose

la faire :
même si c'est à contrecœur, vous apporterez de l'aide à quelqu'un

OFFICIER **l'être :**
vous recherchez en vain honneurs et gratitudes

le voir, lui parler :
chance, avancement

OFFRE **la faire :**
un de vos projets restera à l'état d'ébauche

la recevoir :
vous avez de nouveaux projets pour le futur et vous arriverez à les réaliser

OIES **les voir voler :**
gain, vous gagnerez gros

les tuer, les manger :
des moments agréables vous attendent

les acheter :
quelqu'un se moquera de vous

OIGNON **le voir, le manger, le couper :**
malchance et situation très désagréable. Il est possible qu'il vous arrive un petit malheur

OISEAUX **les voir voler :**
plus haut volent les oiseaux, plus élevés en seront vos bénéfices

les voir enfermés dans une cage :
vous faites des efforts inutiles

les prendre :
gain

les tuer, les voir morts :
vous subirez une perte d'ordre économique

les nourrir :
vous êtes sociable et vous avez beaucoup d'amis
gaieté et chance

aquatiques :
attention à un danger

nocturnes, les voir :
vos affaires seront plus calmes
perte économique

OLIVES **sur l'arbre :**
vous gaspillerez beaucoup d'argent

les cueillir :
vous êtes peu raisonnable

les manger :
discorde en famille

les ramasser par terre :
travail, gros problèmes

OLIVIER **le voir :**
chance, amitiés fidèles et de longue durée

OMBRE **d'une plante, s'y trouver :**
un personnage très influent vous tendra la main

voir la sienne :
vous serez très effrayé

voir l'ombre d'autres personnes :
vous n'avez rien à craindre car il ne vous arrivera rien de désagréable

ONGLES **les avoir longs :**
en cas de difficulté vous savez comment vous défendre

courts :
tristesse et faiblesse

cassés :
problèmes

les perdre, les couper :
disputes familiales

ONGUENT **le boire :**
maladie

l'utiliser :
vos activités iront plus doucement

le faire cuire :
misère, pauvreté

OPALE vous êtes une personne pleine de bon sens et de sagesse. Ces vertus vous rendront populaire

OPIUM **le fumer, le voir fumer :**
la chance ne vous tombera pas du ciel. C'est vous qui devez aller à sa recherche et la saisir. Ne soyez pas aussi indifférent. C'est le moment de retrousser vos manches et de travailler intensément

OR **le trouver :**
vous perdrez de l'argent

le manier :
vous avez perdu une bonne occasion

ORAGE **s'y trouver :**
vous subirez une offense
il vaudrait mieux renvoyer un voyage qui pourrait s'avérer dangereux

ORANGES **les voir dans un panier :**
une de vos connaissances mourra

en manger des douces et des juteuses :
vos espoirs seront satisfaits et votre supérieur vous gratifiera hautement

les voir sur l'arbre :
problèmes du point de vue affectif

en acheter :
vous aimez et vos sentiments sont partagés

ORCHESTRE **l'entendre, le voir :**
vous avez le cœur plein de joie et de sérénité gaieté

ORDRES **en donner :**
vous êtes trop autoritaire. Votre comportement odieux vous rendra antipathique

en recevoir :
vous avez un emploi subalterne

OREILLES **en avoir plusieurs :**
votre femme et vos enfants auront du respect pour vous et suivront vos conseils

les perdre :
malheurs

les nettoyer :
vous recevrez une bonne nouvelle

les frapper :
vous recevrez une nouvelle désagréable

si des fourmis y pénètrent :
maladie grave, mort

avoir des oreilles d'âne :
vous vivrez une période de misère et de pauvreté

avoir les yeux à la place des oreilles :
vous perdrez la vue

ORGANES GENITAUX **les voir :**
plaisir en abondance
naissance d'une fille

ORGE **le voir ou le manger :**
bonne santé et prospérité

ORGUE **le jouer :**
vous apprendrez une bonne nouvelle

l'entendre, le voir :
chance, joie, fêtes

ORME **le voir :**
votre vie sera sereine et heureuse

ORPHELIN **le voir :**
vous aiderez une personne qui en a besoin

l'être :
vous vous sentez abandonné de tout le monde
mélancolie et tristesse. Pensez davantage à autrui et vous verrez que votre situation s'améliorera

ORTIES **les voir, les cueillir, s'y asseoir dedans :**
malchance provenant de votre caractère trop impulsif. Réfléchissez un peu plus sur ce que vous devez faire

OS **les voir entassés :**
mésaventures, angoisses

les ronger avec plaisir :
misère imminente. Soyez plus concret et travailleur et ne vous abandonnez pas à la malchance

OURAGAN **le voir :**
grosse querelle de famille. Vous traversez une période de crise et d'incompréhension

OURS **polaire :**
vous aimez et vous êtes aimé
vous attachez beaucoup d'importance au sexe

être arrêté par un ours :
vous faites preuve de froideur et d'inconstance envers votre femme et elle pourrait vous abandonner

le voir :
chance

en être assailli :
vous êtes persécuté

OUVRIER **l'être :**
bon travail, gains
vous vous trouvez dans une période de changement

les voir :
comptez seulement sur vos forces et n'espérez en l'aide de personne

les voir fuir :
vous vous trouverez au milieu d'une catastrophe naturelle

P

PAILLE **y être allongé :**
vous aurez affaire avec la justice : prison
chance

la porter sur les épaules :
abondance, joie

la voir brûler :
perte d'argent
vous vivrez un amour malchanceux et sans espoir

PAIN **le manger blanc et frais :**
ce moment difficile sera bientôt effacé par la chance qui vous sera largement favorable

le manger sec :
vous aurez des problèmes et des ennuis à surmonter
injustice

chaud :
vous aurez des problèmes de santé : surveillez-vous

le cuire, le voir cuire :
une de vos entreprises sera couronnée de succès

le rompre :
vous êtes entouré de personnes fausses et déloyales

PANTALON **le voir :**
dans le rêve d'une femme : vous vous marierez dans l'année
dans le rêve d'un homme : tranquillité économique, bonne santé, abondance
n'oubliez pas de payer un compte resté en suspens

le perdre :
votre conjoint est plus autoritaire que vous

l'arranger :
vous aurez des problèmes d'ordre financier

l'enlever :
contrôlez votre état de santé, maladie bénigne

déchiré :
vous aiderez quelqu'un qui se trouve en difficulté

PANTHERE **la voir :**
tristesse, infirmité, désespoir. Une personne amie vous aidera dans ce moment dramatique

PANTOUFLES **les voir, les posséder :**
commodité, tranquillité familiale

les acheter :
c'est votre conjoint qui commande à la maison

marcher en pantoufles :
tranquillité, sérénité d'esprit

PAPE **le voir :**
vous êtes en danger

le voir bénir :
Dieu vous accordera sa grâce
chance

PAPIER **carte géographique :**
vous ferez un long voyage

le voir :
vous aurez des problèmes judiciaires

le voir voler :
grande déception

fabrique de papier :
vous êtes préparé et sûr de vous

le couper :
vous divorcerez ou vous serez séparé
de la personne que vous aimez

le déchirer :
vous avez un caractère trop impulsif,
agissez plus calmement

imprimé :
vous recevrez de grandes marques de gratitude et
des honneurs

PAPIERS **les montrer :**
vous aurez affaire avec la justice

PAPILLON **le poursuivre et le capturer :**
vous tomberez soudainement amoureux mais
cela ne durera pas longtemps. Soyez plus constant

PAQUES **voir ce jour, le fêter :**
vous devrez affronter des sacrifices et des peines

PAQUET **le recevoir :**
vous aurez d'agréables nouvelles
le travail est tout particulièrement favorisé

l'expédier :
vous aurez une agréable surprise

PARACHUTE **le voir, s'en servir :**
vous êtes indécis et taciturne de caractère
votre santé est précaire

PARADIS **y être :**
vous goûterez des plaisirs extatiques
mais éphémères
vous serez à l'abri des dangers

PARALYSIE **en être frappé :**
stagnation de vos affaires
vous avez subi un choc et il faut vous reprendre
dans un climat de tranquillité et de détente totale

voir un paralytique :
vous aurez beaucoup de chance dans les affaires
vous annulerez l'influence de dangereux
adversaires

PARAPLUIE **ouvert :**
vous avez une amitié fidèle qui vous offrira son
aide en cas de besoin

cassé :
quelqu'un vous décevra en se montrant
opportuniste et déloyal

ombrelle :
vous êtes favorisé et protégé par le sort

PARAVENT **le voir :**
même si la vérité vous est cachée pour le
moment, vous ne tarderez pas à l'apprendre

PARC **le voir :**
vous possédez un caractère mélancolique

s'y promener :
votre âme est sereine. Vous goûterez les petites
joies de la vie
agréables expériences, tranquillité

PARDESSUS **le voir :**
prémunissez-vous contre un danger éventuel :
tenez-vous à l'abri

le porter :
maladie bénigne

l'enlever :
vous cachez très bien vos mauvais côtés

PARDONNER **quelqu'un :**
peines, angoisses et peur vous sont destinées

obtenir le pardon :
vous êtes toujours insatisfait. Contentez-vous de ce que le sort vous réserve

PARENTS **voir les siens :**
quelqu'un vous protège dans le malheur

les voir morts (les siens ou d'autres proches) :
chance, protection. Ecoutez ce qu'ils vous disent
vous aurez une grande joie

les voir mourir :
ils auront une longue vie
chance

les voir tomber malades ou les voir malades :
héritage, grand malheur
gros problèmes à l'horizon

leur parler :
vous aurez de la chance dans votre travail

PARFUM **le sentir :**
on veut vous tromper
ne vous laissez pas tenter par des activités qui peuvent vous attirer mais qui vous créeront un tas de problèmes

PARI **le faire :**
ne courez pas de risques inutiles

le perdre :
vous perdrez une grosse somme d'argent

le gagner :
gain inattendu, richesse

PARLER **avec quelqu'un :**
vous êtes aimé et respecté

à haute voix :
vous n'avez la considération de personne et cela vous fait de la peine

entendre parler :
vous serez invité à une fête

avec des animaux :
vous êtes préoccupé et triste

PARTIR **se voir partir :**
vous désirez sortir en vain de l'anonymat, mais vous êtes un peureux qui fuit sans se retourner devant le danger
vous aurez bien des déceptions et des tristesses si vous ne changez pas de caractère

en bateau :
vous aurez des problèmes avec une femme

en avion :
vous vivrez pendant quelque temps dans la solitude

PASSEPORT **le voir :**
à l'improviste vous ferez un voyage qui n'était pas prévu

PATE **la travailler :**
petits embêtements et problèmes

la manger :
abondance, aisance

la cuire :
vous entendrez des commérages

PATINER **se voir en train de patiner :**
les gains seront faciles et la chance vous accompagnera dans votre profession

voir quelqu'un :
stagnation de votre travail

PATURAGE **le voir beau et riche :**
chance et abondance

alpin :
vous devrez affronter bien des difficultés

avec du bétail :
votre avenir sera prospère

PAUME **la voir :**
honneurs et gratitudes vous seront attribués dans la société

PAYE **la toucher :**
votre situation financière n'est guère florissante, vous subirez de grosses pertes

la donner :
prospérité, abondance

PAYS **revoir son pays natal :**
vous avez la nostalgie du passé. Vous avez tendance à oublier le présent qui est prêt à vous offrir une grande joie

voir un paysage :
vous arriverez à résoudre et à conclure une affaire restée en suspens depuis longtemps

voir un pays désert :
période de malchance. Vous aurez un tas d'embêtements

PAYSAN **l'être :**
richesse et abondance
vous attachez trop d'importance à la culture et aux intellectuels et cela vous empêche de goûter aux petits plaisirs de la vie

PEAU **voir la sienne :**
votre jalousie pourrait détruire un lien sentimental très fort

la voir belle et lisse :
vous êtes très aimé

la voir ridée et vilaine :
vous aurez une longue vie

la voir foncée :
vous serez trahi

PECHER **voir quelqu'un :**
trahison. Quelqu'un d'astucieux sera déloyal à votre égard

voir de petits poissons :
vous aurez une modeste réussite professionnelle

voir à la ligne des poissons étranges et jamais vus :
vous êtes méfiant et astucieux. Vous voulez tromper une personne qui vous est proche

voir quelqu'un pêcher à la ligne :
vous serez trompé par quelqu'un de faux que vous considériez comme ami

PEIGNER **soi-même :**
vous arriverez à résoudre un très gros problème

se nouer les cheveux :
dans le rêve d'une femme : vous aurez une grande joie
dans le rêve d'un homme : vous aurez bien vite des difficultés financières

être peigné :
vous serez très sévèrement jugé

PEINDRE **un tableau :**
vous êtes sûr de vous et à l'occasion vous savez vous décider et vous engager

PEINTRE **le voir :**
persévérez dans votre travail et la chance sera généreuse avec vous

l'être :
vous appréciez le confort et l'aisance que vous pourrez avoir

PELERINAGE **le faire :**
changement de maison ou de pays

le voir :
vous satisferez un de vos désirs ardents

PELLE **la voir :**
vous devrez faire un travail très dur

s'en servir :
vous parviendrez au succès et à la richesse après avoir vaincu une foule d'obstacles

PENDRE **se voir pendu :**
vous aurez une agréable surprise. Vous serez élevé aux honneurs

voir des pendus :
quelqu'un autour de vous a un urgent besoin d'argent

en général :
ce songe indique un changement radical de vie

PENTE **y tomber :**
vous pourriez vous trouver dans une situation dangereuse pour une raison futile, soyez plus prudent

rocheuse :
vous aurez un chagrin et beaucoup de problèmes à résoudre

avec de la mousse :
votre vie est heureuse. Vous serèz tranquille et gai

PERCEPTEUR **le voir :**
vous recevrez la visite d'une personne qui vous est très antipathique

PERCER **l'être** (avec une fraise ou un objet pointu) :
quelqu'un fera des médisances à votre sujet
vous êtes insatisfait sexuellement

quelque chose :
vous bavardez trop et vous vous occupez souvent de choses qui ne vous regardent pas

PERDRE **quelque chose :**
un effort que vous ferez se révélera inutile

des vêtements de dessous :
vous aurez honte
quelqu'un fera des potins embarrassants sur vous

PERE **voir feu votre père :**
une personne que vous ne voyez pas depuis longtemps vous aidera dans une situation délicate

le voir particulièrement autoritaire :
vous subirez un affront de la part de personnes qui vous sont proches

malade :
soyez prudent, le moment n'est pas des plus favorables

devenir père :
votre mariage sera heureux

PERLES **les voir :**
vous êtes triste. Vous avez subi une grande déception amoureuse mais bientôt vous vous consolerez

les perdre :
vous aurez beaucoup de succès

les recevoir :
chagrins, tristesses

PERMISSION **l'obtenir :**
vous arriverez à porter à terme une entreprise qui semblait vouée à l'échec

la donner :
problème dans le domaine professionnel

PERROQUET **le voir, l'entendre parler :**
quelqu'un parle mal de vous. Vous êtes entouré de gens hypocrites

le nourrir :
vous épouserez une personne bavarde et médisante

PERRUQUE **la porter :**
malchance

PESER **quelque chose :**
vous êtes une personne réfléchie. Votre esprit trop tatillon pourrait vous porter préjudice et vous faire perdre une occasion très favorable et très importante pour vous

PETIT-FILS **le voir :**
vous aurez des joies inattendues

PETIT GARÇON **retourner petit garçon :**
vous vous trouvez dans une situation désagréable du point de vue sentimental et vous désirez vous en sortir. Ne vous laissez pas aller, c'est à vous de faire le premier pas si vous voulez y arriver

PETITE FILLE **voir une petite fille :**
si elle est belle, vous dépenserez des sommes folles

l'embrasser :
une très plaisante surprise vous attend

si elle pleure :
votre femme vous trompe

si elle danse :
votre amour est heureux sous tous les rapports

PEUR **avoir peur :**
contrôlez votre santé, vous avez des problèmes de circulation
c'est un songe de mauvais augure

PHARE **le voir :**
même si pour le moment la situation n'est pas facile, vous trouverez d'ici peu la solution de vos problèmes et de vos préoccupations

PHARMACIE **la voir :**
vous vous ennuierez à mort lors d'une réunion d'amis. Changez de milieu

PHOTOGRAPHIER **quelqu'un :**
vous vivez un grand amour. Ne soyez pas trop tatillon car vous gâcheriez tout

se faire photographier :
soyez sincère avec vous-même, cela ne sert à rien de vous mentir

PHTISIE **l'avoir :**
vous jouissez d'une excellente santé. Si vous êtes malade, vous guérirez vite. Si vous voulez éviter une rechute, essayez de mettre un frein à vos passions irrésistibles. Cela finira par vous épuiser

PIANO **jouer du piano :**
vous nourrissez beaucoup d'espoirs pour le futur ; vous ne serez pas déçu car vous serez heureux et vous aurez de la chance

entendre quelqu'un en jouer :
quelqu'un vous mettra des bâtons dans les roues au sujet d'une affaire importante

PIE **la voir voler :**
c'est un triste présage

PIECES **les dépenser :**
vous aurez des ennuis

fausses :
on vous a vulgairement escroqué

d'or :
richesse, prospérité

d'argent :
gain

de cuivre :
pertes, chagrins

PIEDS **en avoir un malade :**
début et programmation d'une affaire très fructueuse

les avoir sales :
vous aurez des chagrins et des problèmes en famille

les avoir amputés :
vous subirez des torts et des peines

PIERRE **la voir sur son chemin :**
vous devrez vaincre des obstacles

milliaire :
vous ferez votre testament

précieuse :
si vous la recevez : vous portez un jugement arbitraire sur une situation
si vous la perdez, vous serez volé

avoir beaucoup de pierres précieuses :
gratitudes et honneurs vous seront décernés, mais faites attention car vous serez tenté par quelque chose qu'il vaudrait mieux que vous ne fassiez pas

la jeter à quelqu'un : vous outragerez quelqu'un

en être frappé : vous serez outragé fuite

PIGEONS **les voir roucouler :**
vous aurez beaucoup de chance en amour

les voir voler :
contentement, joie, plénitude

les prendre :
vous aurez des ennuis

les tuer, les manger :
vous aurez un gros chagrin

PILOTE **l'être :**
la nature vous a doté de force d'âme et d'optimisme

le voir :
un changement se produira dans votre situation affective ou financière

PILULES **les prendre :**
vous aurez une aventure agréable et heureuse

les donner à quelqu'un :
vous êtes en train de comploter contre une personne sans défense

PIOCHE **l'utiliser :**
vous vous trouvez dans une situation dangereuse. Ne faites rien d'illicite, cela vous nuirait énormément

PIPE **s'en servir :**
gaieté, petits plaisirs

la casser :
chagrin

PIRATES **l'être :**
méfiez-vous de faux amis

les voir :
vous perdrez beaucoup d'argent dans de mauvaises affaires

PISTOLET **le manier :**
vous prendrez position à l'égard d'une connaissance

tirer :
succès dans le domaine affectif
vous êtes très passionnel
aventure

le voir :
vous éprouverez de la colère et des rancœurs inutiles

PLACE **la voir :**
mauvaise humeur, ennuis

si elle est vide :
vous devrez surmonter un obstacle. Si vous occupez une position importante, vos affaires seront ralenties. Si vous avez un emploi modeste, vous aurez une amélioration sur le plan économique

PLAFOND **le voir s'écrouler :**
vous courez un grave danger

le voir :
des personnes déloyales et envieuses tenteront de vous nuire

PLAGE (voir **Sable**)

la voir :
un de vos désirs se réalisera

PLAINE **la voir :**
vous n'aurez aucun mal à vaincre les obstacles

y habiter :
vous mènerez une vie heureuse, sans souci
vous êtes paresseux

PLAINTE **la recevoir :**
contrastes avec la famille de votre fiancée

l'adresser :
vous manquez souvent de mesures
ne vous créez pas de problèmes inutiles et vous serez serein

PLAISANTERIE **en être la victime :**
tristesse
vous avez peu d'amis

la faire :
gaieté, sociabilité

PLAISIR **éprouver un grand plaisir :**
vous serez lésé et outragé

PLANTES **se trouver à l'ombre :**
tranquillité et aisance modeste en ce qui concerne votre travail

les arroser, les planter :
vous ferez un mariage riche et heureux

PLATANES **les voir :**
dans le rêve d'une personne qui travaille le bois : chance
dans le rêve de n'importe qui d'autre : misère, famine, malchance

PLATEAU **l'utiliser, le voir :**
vous recevrez un cadeau

PLATRE **le voir :**
vous êtes plein de dettes

PLEURER **un mort ou pour une raison très grave :**
une importante réussite sera pour vous source de gaieté et de satisfaction

pour une chose de rien du tout :
vous éprouverez de la tristesse et une vraie douleur

voir quelqu'un pleurer :
vous ferez un tort à une personne qui vous est très chère

de joie :
une période de tranquillité exempte de préoccupations et d'angoisses vous attend

PLONGER (SE) **dans l'eau :**
(voir **Eau**)

sous l'eau :
un de vos ennemis vous rendra inoffensif

PLUIE **fine :**
gains insuffisants

qui tombe à verse :
il vous faudra surmonter des ennuis, des difficultés et des soucis

diluvienne :
gros problèmes et douleurs. Risque d'accident

avec du soleil :
amélioration de votre situation

la voir :
si vous êtes sur le point de partir, renvoyez votre voyage à plus tard

PLUMEAU **le voir, s'en servir :**
vous n'êtes pas assez sérieux dans les affaires et cela vous fait du tort

sale :
cela reflète le grand désordre de votre pensée. Ayez un esprit plus rationnel

PLUMES **les voir ou écrire avec :**
vous recevrez bientôt une bonne nouvelle

les voir suspendues dans l'air :
vous arriverez à votre objectif

POCHE **trouée :**
vous aurez de très légères pertes d'argent

la voir :
vous voulez garder jalousement un secret qui vous appartient

POELE (un) **chaud, s'y réchauffer :**
vous êtes destiné à de grands succès et à une situation économique enviable

l'acheter :
vous aurez une vieillesse sereine et sans souci

s'y brûler :
vous perdrez confiance en vous

le faire chauffer, l'allumer :
l'harmonie familiale règne de nouveau

POELE (une) **la voir, s'en servir :**
bien souvent vous manquez de tact et de diplomatie avec votre entourage

POETE **l'être :**
vous rêvez trop souvent les yeux grands ouverts et vous risquez ainsi de ne pas voir la réalité
vous vous sentez incompris

POIGNARD **s'en servir :**
vous êtes violent
c'est vous qui aurez le dernier mot dans une dispute

en être blessé :
satisfaction, aventure, cadeau imprévu

POING **donner un coup de poing :**
torts et maladies. Période de malchance

assister à une rencontre de boxe :
vous serez mêlé à une querelle

POIRES **les manger :**
la chance vous sourira

voir un arbre ployant sous les poires :
vous devrez affronter des discussions avec une femme

avec des vers :
quelqu'un veut vous tromper

secouer l'arbre pour en faire tomber les poires :
la chance sera avec vous

POIS **secs :**
vous vous marierez bientôt

verts :
aventure sensuelle

les manger :
vous aurez des ennuis. Vous serez importuné par une personne superficielle et ennuyeuse

les planter :
chance dans la famille

les cueillir :
chance dans votre travail mais accroissement des préoccupations

POISON **être empoisonné :**
maladie grave

empoisonner quelqu'un :
vous voulez triompher d'un ennemi en vous servant de moyens illicites
tristesse et malchance

POISSON **le tenir dans la main :**
vous laisserez échapper une occasion favorable

petit :
vous aurez un ennui

grand :
vous réglerez une affaire importante

mort :
quelqu'un médit perfidement à votre sujet

en voir plusieurs :
un de vos amis tombera malade ou mourra

multicolore :
ennuis, peines, maladies

en manger :
chance, richesse

le voir dans son lit :
maladie, malchance

POITRINE (d'homme)

belle :
vous serez très favorisé dans le domaine sentimental

blessée :
vous avez des amis loyaux

POMMADE

s'en mettre :
vous êtes superficiel et vous vous souciez trop de l'apparence

la mettre à quelqu'un :
vous désirez gagner l'amitié de quelqu'un

POMMES

manger des pommes mûres et savoureuses :
bonne santé, bien-être et bonheur amoureux

manger des pommes pas mûres :
querelles et ressentiments

les voir sur les arbres :
vous avez beaucoup d'amis sincères

les cueillir :
grande joie

pourries :
attention à un danger. Ennuis

les peler :
vous serez déçu de ne pouvoir satisfaire un de vos plus grands désirs

les couper :
séparation de quelqu'un ou de quelque chose qui vous est très cher

POMMES DE TERRE

les manger :
maladie bénigne, contrôlez plus souvent votre santé

les peler :
vous vous débarrasserez de personnes hypocrites et déloyales

les cuire :
vous recevrez une visite désagréable

POMPE

s'en servir :
un ami profite de vous
vous êtes en train de faire un travail pénible et ennuyeux

anti-incendie :
vous perdrez une excellente occasion

en être arrosé :
vous aurez une agréable surprise

PONT

le traverser :
vous résoudrez une question juridique si vous cessez de tergiverser. Soyez plus décidé et optimiste

se trouver sur un pont suspendu au-dessus d'une gorge profonde et penser tomber :
la situation est grave et vous risquez de ne pas

vous en sortir à cause de votre timidité et de votre faiblesse
soyez plus combatif, vous serez vainqueur

PORC **en voir un troupeau :**
vous êtes paresseux et indécis devant les difficultés
vous aimez la vie et les gens, mais vous êtes incapable d'extérioriser vos sentiments. Si vous ne modifiez pas votre caractère, vous vous retrouverez seul

PORCELAINE **la casser :**
vous manquez d'assurance et vous êtes peureux. Si vous ne changez pas, votre situation empirera

la posséder :
aisance, bien-être

la voir en équilibre instable :
votre situation est précaire. Il ne dépend que de vous pour vous en sortir

l'acheter :
vous formerez bientôt votre propre famille. Mariage

PORT **y être ou aborder :**
vous recevrez une bonne nouvelle
vous apprendrez un secret

PORTE **se trouver devant une porte fermée :**
ralentissement momentané en ce qui concerne votre travail. Si vous vous refusez de moderniser les techniques et les méthodes, votre situation empirera de plus en plus

la voir ouverte :
une activité que vous avez entreprise depuis peu se révélera très fructueuse et sous de bons auspices

être mis à la porte :
quelqu'un se conduira mal avec vous

PORTE-MONNAIE **le voir :**
quelqu'un vous révélera un secret que vous désiriez connaître depuis longtemps

le fermer :
vous êtes réservé

l'ouvrir :
vous désirez partager vos pensées avec les autres

PORTEUR **le voir :**
vous aurez un gros ennui mais une personne amie vous aidera à en sortir

PORTRAIT **le voir pendu au mur :**
la personne représentée vivra longtemps
le début d'un nouvel amour est une chose possible

voir le sien :
la satisfaction d'avoir réussi et l'air supérieur que vous prenez suscite bon nombre d'antipathies. Vous pourriez vous retrouver seul

POTAGER **fleuri et soigné :**
un ennemi puissant essaye de ruiner vos initiatives professionnelles. Malchance, mais vous pouvez tenter de l'éviter en y mettant du vôtre

POUDRE **poudre à munitions :**
ce rêve prédit un grave danger. Guerre
vous vous sentez impuissant devant une situation que vous jugez supérieure à vos possibilités. Soyez plus énergique et combatif

POULAILLER **s'y trouver :**
des médisances pourront troubler l'atmosphère familiale

se trouver dans un poulailler au milieu de poules
(qui volent à petits coups d'ailes et caquettent d'une manière anormale) :
vous êtes trop impulsif et vous pourriez faire des bêtises inutiles

POULAIN **le voir :**
bonheur, joie

le voir sauter :
une période de chance et de gaieté vous attend

POULE **blanche :**
fécondité

de couleur :
vous avez une fausse amie

qui gratte le sol de la cour :
vous aurez une vie aisée

POUMON **le manger :**
surveillez votre santé. Maladie bénigne

le voir blessé :
un grave danger vous menace

POUPE **être à la poupe :**
vous recevrez un cadeau apprécié
quelqu'un vous aime

POUPEE **jouer avec :**
vous allez goûter un plaisir éphémère

la voir cassée :
vous perdrez de l'argent

POURBOIRE **le donner :**
vous perdrez de l'argent

le recevoir :
vous aurez des rentrées modestes mais sûres

POURSUIVRE **quelqu'un ou quelque chose :**
vous êtes insatisfait de votre sort et vous vous
fixez toujours des buts impossibles à atteindre
soyez plus réaliste

POUSSIERE **la voir chez soi ou sur ses habits :**
dispute, mécontentement, incompréhension

la voir sur soi :
vous êtes tenace et constant, vous arriverez à réaliser vos projets

POUX **les trouver sur soi et les tuer :**
mélancolie et problèmes disparaîtront

se les enlever :
vous avez de grandes probabilités de résoudre vos problèmes

se réveiller avec le souvenir de ne pas s'en être débarrassé :
vous serez toujours esclave de vos problèmes et de votre mélancolie

PRE **se trouver sur un pré parsemé de petites fleurs :**
vous aurez des gains modestes

y être allongé :
vous aurez une vie agréable

marcher sur un pré vert :
vous avez d'excellentes perspectives

PRECIPITER **dans un ravin :**
vous avez des sautes de tension. Tenez-vous sous le contrôle d'un médecin
vous êtes entouré de personnes hypocrites

PRETER **quelque chose :**
vous recevrez quelque chose que vous désiriez depuis longtemps

PRETRE **le voir :**
gratitudes et honneurs vous seront attribués

le voir se promener en face de chez soi :
vous parviendrez bientôt à une haute position sociale

PRIER **se voir en train de prier :**
joies et chance
vous n'aurez aucune difficulté à surmonter de petits obstacles
sérénité spirituelle

voir quelqu'un prier :
il vous faudra payer de votre personne pour vaincre les obstacles et les problèmes qui se présenteront

et porter des fleurs ou allumer des cierges dans une église :
il vous faudra résoudre de petits problèmes mais votre futur s'annonce sous d'heureux auspices

PRINCE **le voir :**
vous recevrez des marques d'honneur et de gratitude

parler avec lui :
vous avez une situation enviable et enviée

le voir à cheval :
si vous ne mettez pas un frein à vos dépenses, vous serez bientôt sans ressources

PRINTEMPS **le voir, voir de nouvelles fleurs ou des boutons :**
de nouvelles joies vous attendent dans le domaine sentimental
renouveau d'énergie

PRISON **y être :**
même si vous avez du mal, vous réussirez à surmonter les difficultés dans vos affaires
vous avez des remords pour une action que vous n'auriez pas dû commettre, mais cela ne sert à rien puisque c'est trop tard
vous pourriez commettre une grave erreur

en sortir :
vous triompherez dans une entreprise à peine commencée
si vous êtes malade, vous guérirez vite

y aller :
joies et bonheur

s'y trouver attaché ou enchaîné :
vous vous sentez faible et impuissant. Vous devez affronter avec plus de décision les situations difficiles

être tenu prisonnier :
maladie
ralentissement dans vos affaires
dans le rêve d'un malade : guérison rapide

PROCES **y assister en tant que juge :**
vous retrouverez un ami que vous aviez perdu de vue depuis longtemps

y assister en tant qu'accusé :
dans le rêve d'une femme : changement d'état civil
dans le rêve d'un homme : perte de biens

le gagner :
vous remporterez un succès bien mérité au bout de nombreuses peines

PROCESSION **la voir, la suivre :**
vous êtes arrivé à éviter un grave danger

PROJECTILE **en général :**
malchance, dangers, ennuis

en être atteint :
maladie

le voir entrer dans sa maison :
vous courez un grave danger

le manier :
problèmes et ennuis

PROJET **le faire ou en être mis au courant :**
vous arriverez à réaliser un projet récent

PROMENER (SE) **se voir soi-même :**
chance, joie et richesse

en barque :
agréable surprise

voir quelqu'un :
héritage

PROMETTRE **avoir la promesse de quelqu'un :**
quelqu'un veut vous tromper

quelque chose à quelqu'un :
vous avez manqué de loyauté à l'égard d'une personne amie

PROPHETIE **l'entendre :**
il arrivera ce que vous avez entendu en rêve

la faire :
vous ne concluez rien et vous êtes peu concret. Vous devez agir

PROPRIETE **la recevoir :**
si vous n'êtes pas encore marié, un mariage heureux vous est destiné. Si vous l'êtes déjà, vous aurez bientôt un enfant

l'acheter :
contentez-vous de ce que vous avez et estimez-vous heureux

PROSTITUEE **avoir affaire avec :**
vous aimez une femme mais vos sentiments ne sont pas réciproques

la voir :
vous fréquentez un milieu bizarre et suspect

PROTEGER **quelqu'un :**
vous essayez d'aider les autres mais personne ne l'apprécie et reconnaît ce que vous faites

être protégé :
quelqu'un désire votre collaboration

PRUNES **les manger :**
vous êtes une personne qui recherche des jouissances et des biens matériels
quelqu'un décevra votre attente

les voir sèches ou fraîches :
vous ne supportez pas la solitude. Vous aspirez à la compagnie de gens sympathiques et sans problèmes intellectuels
satisfaction

PUCES **en avoir :**
vous aurez des ennuis

arriver à s'en débarrasser :
vous surmonterez les difficultés qui vous barrent le chemin du bonheur

les chercher :
vous aurez bientôt des ennuis

PUITS **le voir :**
si vous n'êtes pas encore marié : mariage heureux et enfants

rempli d'eau :
chance, stabilité financière

s'il en sort de l'eau :
vous aurez une petite perte d'ordre financier

le creuser :
vous trouverez un emploi fatigant mais bien payé

y tomber :
malchance. Gare aux dangers

y puiser de l'eau :
richesse, abondance

aux eaux troubles :
malchance

aux eaux limpides :
bonnes perspectives

le voir dans la maison :
disgrâce, ennuis

PUNAISES **les voir :**
vous vous disputerez avec quelqu'un

en être mordu :
grande abondance et richesse

PUNIR **quelqu'un :**
vous rendrez une personne ennemie inoffensive
chance

être puni :
vous éprouvez des remords pour une action déloyale commise dans le passé

PURGATOIRE **s'y trouver :**
vous aurez affaire avec la justice
vous ne gardez pas une attitude droite et loyale

PUS **en avoir sur soi :**
vous vous êtes trop fatigué ces derniers temps
maladie

le voir :
vous aurez de nouvelles richesses

PUTOIS **le voir :**
vous êtes entouré de personnes déloyales qui veulent vous tromper et vous voler

PYRAMIDE **la voir :**
une affaire se révélera impossible et vouée à la malchance

y pénétrer :
vous recevrez des marques d'honneur et de gratitude

Q

QUEUE **l'avoir :**
vous êtes une personne chanceuse

voir la queue d'un cheval :
gratitudes et honneurs vous seront décernés

QUILLES **y jouer :**
vous vous arrêtez trop à l'apparence des choses, des personnes et de vous-même

les voir tomber :
vous êtes pessimiste

les mettre debout :
vous voulez tenter de nouveau une affaire qui a mal tourné

R

RABBIN **le voir :**
chance en ce qui concerne votre travail. Gains importants

RABOTER **quelque chose :**
vous avez des amis fidèles

voir quelqu'un :
un de vos parents mourra

RACINES **voir celles d'un arbre :**
vous n'aurez pas de chance avec votre conjoint

trébucher contre :
vous êtes trop irréfléchi dans les affaires. Vous pourriez avoir de considérables pertes d'argent si vous ne changez pas de comportement

les manger :
vous jouissez d'une excellente santé

les trouver en creusant :
vos rentrées seront modestes

RACONTER **quelque chose :**
vous êtes sociable et aimé. Les personnes qui vous entourent vous demandent souvent conseil

RADEAU **s'y accrocher ou le voir :**
vous arriverez à résoudre une situation qui semblait désespérée

RADIO **l'entendre :**
vous aurez bientôt des nouvelles d'une personne qui se trouve au loin. Vos affaires sont sous d'heureux auspices

RAFRAICHIR (SE) vous ferez un mariage d'amour mais vous aurez peu d'argent
il vous faudra peiner durement pour conquérir la fortune

RAGE **l'éprouver :**
vous êtes entouré de faux amis

RAISIN **en manger :**
prospérité, richesse, santé

acerbe, le manger :
querelles en famille

le voir sec :
vous vous entêtez dans vos opinions et dans vos positions

RAJEUNIR **se voir :**
naissance dans la famille
le futur vous réserve de grandes joies

RAMASSER **quelque chose par terre :**
soyez sur le qui-vive et ne laissez pas vous échapper une bonne occasion ; la chance ne tardera pas

RAMER **se voir :**
dans votre profession, tout ira bien. Vous méritez la chance qui vous favorisera genéreusement.

Grâce à votre persévérance vous atteindrez le but que vous vous êtes fixé

RAMONEUR **le voir :**
une chose que vous soupçonniez depuis longtemps s'éclaircira
chance et bonheur

RAPE **la voir :**
vous aurez de petits chagrins

s'en servir :
vous avez des amis fidèles

se blesser en l'utilisant :
une amie trahira votre confiance

RASER **se faire raser :**
vous aurez une perte douloureuse

(voir **Cheveux**)

quelqu'un :
vous manquez de loyauté, vous tromperez une personne de votre entourage

RATEAU **l'utiliser :**
vous désirez avoir les idées plus claires et réfléchir. Cela vous sera tout particulièrement utile dans le domaine professionnel

être menacé avec un rateau :
vous serez âprement blâmé

RATS **les voir chez soi :**
chance, bonheur

en voir un grand nombre :
pauvreté, moments difficiles

pris dans la ratière :
vous triompherez d'un ennemi

les prendre :
vous arriverez à réaliser un projet

en être assailli :
vous perdrez l'argent que vous aviez prêté

les tuer :
vous aurez le dessus sur des ennemis sans scrupules

RECHAUFFER **se réchauffer :**
vous espérez toujours. Vous atteindrez votre but même après bien des renoncements et des peines

réchauffer quelqu'un :
léger malaise

RECOLTE **avoir une bonne récolte :**
vous réaliserez ce que vous aviez imaginé. Vous réussirez dans votre travail et ni la chance ni les joies ne manqueront en famille

avoir une maigre récolte :
ne soyez pas trop écervelé dans les affaires car vous pourriez perdre de l'argent

RECONCILIER (SE) **avec quelqu'un :**
les difficultés seront bientôt aplanies. Vous résoudrez de graves problèmes affectifs

REFUGIER (SE) **chercher refuge :**
début d'une nouvelle aventure sentimentale

pour échapper à un danger ou aux intempéries :
vous vaincrez un gros obstacle

trouver refuge :
amour heureux

REIN **le voir, en souffrir :**
maladie, chagrins

REINE, ROI **la ou le voir :**
un de vos projets se réalisera. Changement de situation en mieux : avancement

parler avec elle ou avec lui :
vous recevrez des marques d'honneur et de gratitude

l'être :
dans le rêve d'un malade : mort
dans le rêve d'une personne en bonne santé : pertes d'ordre financier, séparation des personnes que l'on aime

RELIQUE **la voir :**
vous êtes malheureux et la tristesse ne s'apaisera pas facilement

REMBOURRER **quelque chose :**
vous êtes déloyal, hypocrite et paresseux

REMEDE **le prendre :**
vous aurez une dispute désagréable avec votre famille

l'acheter :
vous aurez une petite perte d'ordre financier

RENARD **le voir :**
vous serez trompé par une femme

le tuer :
affaires favorisées par la chance

en être mordu :
pertes d'argent

RENDEZ-VOUS **l'avoir :**
vous aurez de la chance en amour et vous aurez une joie inattendue

RENES **les tenir dans les mains :**
si vous ne voulez pas perdre le contrôle de la

situation, vous devez être plus autoritaire et plus ferme

RENONCER **à quelque chose :**
des personnes importantes vous retireront les avantages et la considération dont ils vous honoraient

REPONDRE **à une demande :**
vous êtes trop précipité dans vos décisions, vous pourriez avoir de graves dégâts économiques si vous ne changez pas d'attitude

REPRISER **quelque chose :**
vous êtes trop tatillon. Si vous ne changez pas votre manière de faire, une excellente occasion vous passera sous le nez à cause de détails insignifiants

REPTILE **le voir :**
vous êtes entouré de personnes hypocrites qui veulent vous tromper

RESINE **s'en salir :**
vous rencontrerez un tas de difficultés dans le domaine professionnel
vos affaires deviendront plus calmes

RESTAURANT **y aller :**
vous ferez un petit voyage qui vous reviendra cependant très cher

RESURRECTION **voir celle d'un mort :**
la tristesse et de nombreux problèmes vous attendent
dégâts matériels

REVEILLER **se voir :**
début de nouvelles activités favorisées par la chance

voir quelqu'un :
vous recevrez bientôt des nouvelles d'une personne que vous ne voyez pas depuis longtemps

réveiller quelqu'un :
vous êtes très aimé

REVOLTE **la voir :**
vous éprouverez un grand chagrin

REVOLVER (voir **Pistolet**)

RHINOCEROS **le voir :**
vous aurez beaucoup de chance

RHUME **souffrir d'un rhume :**
vous souffrez de troubles respiratoires
quelqu'un vous fera de la peine

RICHE **l'être :**
vous êtes ambitieux et il se peut que votre soif d'argent et de pouvoir vous rende victime de personnes sans scrupules

RIDEAU **l'ouvrir :**
les jours de malchance sont sur le point de se terminer

le fermer :
vous avez un secret que vous ne voulez pas révéler

RIRE **entendre quelqu'un :**
vous aurez bientôt un chagrin. Votre tranquillité sera troublée

de quelqu'un :
joie et chance
gaieté

RIVE **d'un fleuve, s'y promener :**
nostalgie et tristesse. Soyez plus actif et concret vous serez plus satisfait de vous-même

y dormir :
tranquillité et joie
vous vous contentez de petites joies : elles suffisent à votre bonheur

RIZ **en manger :**
votre situation économique s'améliorera énormément
vous êtes sujet à des indigestions. Mangez un peu moins

le cuire :
vous guérirez d'une longue maladie

l'acheter :
gains imprévus

ROCHERS **les voir :**
votre travail est plein de difficultés et de problèmes

grimper :
vous réaliserez un de vos désirs

tomber dessus :
baisse de tension
deuil possible dans la famille

en voir de très hauts :
vous visez haut mais vous ne savez pas comment faire pour avoir ce que vous voulez. Soyez plus réaliste et concret

ROSES **en cueillir un bouquet :**
plaisirs, amusements et gaieté

les sentir :
vous cueillez l'instant qui se présente

les recevoir :
vous vivez un amour sincère

se piquer avec :
vous avez des problèmes avec la personne aimée. Soyez plus conciliant sinon vous risquez de provoquer une rupture irrémédiable

ROSSIGNOL **l'entendre gazouiller :**
l'harmonie règne dans la famille
amour partagé

le mettre en cage :
grandes joies

ROTI **en manger :**
soyez prudent et vous parviendrez à une situation aisée

ROUE **la voir tourner lentement :**
vous gravirez quelques échelons de l'échelle sociale

perdre une roue d'un véhicule :
malchance et chagrins

la voir cassée :
vous devrez vaincre de gros obstacles dans le domaine professionnel

la voir tourner à toute vitesse :
chance et richesse. Les affaires vont pour le mieux

voir tourner celle d'un moulin :
vous êtes inconstant en amour

ROUGIR vous avez honte à cause de ce que vous avez fait

RUBAN **long :**
vous aurez une longue vie

court :
votre vie sera brève

le tenir dans les mains :
vous avez un ami loyal

le mesurer :
vous aurez des rentrées d'argent

l'entrelacer :
amour sensuel

le dénouer :
vous ferez un long voyage

RUCHE **la voir :**
vos affaires seront favorisées par la chance et vos gains intéressants

RUE elle représente la vie future

la voir large, plate et bien pavée :
joie, richesse, prospérité et bonne marche des affaires. Vous n'aurez pas à surmonter de gros obstacles

raide (en montée) :
vous atteindrez votre objectif en peinant

raide (en descente) :
vous n'aurez aucune difficulté à obtenir ce que vous désirez

tortueuse :
il vous faudra affronter un procès injuste

pleine de monde :
querelle en famille

RUINES **les voir, les visiter :**
une chance inespérée s'offrira à vous dans votre profession
gros gains

RUISSEAU **s'y baigner :**
vous jouirez bientôt d'une meilleure santé

le traverser :
vous atteindrez votre but

couleur de l'eau :
(voir **Eau**)

profondité de l'eau :
(voir **Fleuve**)

S

SABLE **s'y enfoncer :**
gare à un danger imminent

le voir :
vous recevrez une visite inattendue et agréable

y marcher avec peine :
vous vivrez votre heure de gloire

l'étaler :
la situation est en voie de changement. C'est de vous que dépendra la tournure de votre vie future

SABOTS **les porter :**
vous arriverez à vivre dans l'aisance en faisant des économies

d'un cheval :
vous ferez un voyage

SABRE **s'en servir :**
lorsqu'il s'agit d'arriver à vos fins, vous êtes énergique mais trop violent et dénué de scrupules

en être blessé :
préoccupations et obstacles à vaincre

se servir d'un sabre cassé :
malgré tous les efforts, vous n'arriverez pas à atteindre votre but

SAC **en trouver un qui contient de l'argent :**
vous aurez de la chance au jeu

en voler un qui contient des bijoux :
vous serez l'objet d'un scandale

en trouver un vide :
le travail que vous faites est non seulement inutile mais il ne vous donne aucune satisfaction
votre paresse vous portera préjudice

en trouver un plein :
abondance, richesse

en trouver un troué :
vous subirez des pertes d'argent

le porter :
vous ferez un travail pénible et désagréable

SAC AU DOS **le porter vide sur les épaules :**
votre situation financière n'est pas bonne

le porter plein :
abondance et richesse

SACREMENTS **les recevoir :**
richesses, honneurs et plaisirs vous sont destinés

SACRISTIE **s'y trouver :**
vos affaires marchent bien : richesse, abondance

SAFRAN **le voir :**
vous êtes vaniteux et hâbleur

le manger :
deuil dans la famille

SAGE-FEMME **la voir ou lui parler :**
vous vous marierez vite. Si vous l'êtes dejà, vous aurez un enfant

SALADE **la manger :**
brève maladie

la voir :
vous jouissez d'une excellente santé

SALIR (SE) chance, aisance, joies familiales

SALLE **grande et située dans une maison :**
aisance, bien-être

y danser :
vous menez une vie gaie et agréable

salle de bal :
vous avez une vie facile sans grands problèmes

salle à manger :
vous serez bientôt invité à une fête

SALUER **sa famille :**
chance, joie

des inconnus :
vous devrez surmonter de petites difficultés

une personne ennemie :
réconciliation. Début d'une agréable relation avec une personne que vous aviez mal jugée

SANDALES **les porter :**
vous êtes porté au sacrifice mais sous forme d'exhibitionnisme. Soyez plus sincère avec vous-même

SANG **en être tâché :**
maladie. L'appréhension de la maladie engendre la plupart de vos maux. Soyez plus serein et prenez-vous un peu moins pour une victime

voir le sang couler d'une blessure :
on vous a blessé dans votre orgueil et dans votre dignité

le boire :
chance, prospérité et richesse

s'y baigner :
grosse perte d'argent

saigner du nez :
votre situation s'améliorera

voir son sang couler par terre :
chance et prospérité

perdre tout son sang :
vous n'êtes pas en très bonne santé. Vous avez la tension anormalement basse
il se peut que vous perdiez une grosse somme d'argent. Attention !

SANGLIER **être poursuivi :**
ennuis, stérilité et pauvreté des récoltes
il est déconseillé de partir en voyage

SANGLOTER (voir **Pleurer**)

SAPHIR **le porter ou le voir :**
quelqu'un vous offensera ou dira du mal de vous

SAPIN **le voir :**
chance et succès dans les affaires

décoré :
vous aurez une chance inattendue

couvert de neige :
mariage heureux et tranquillité économique

SAUCE **la voir, la manger :**
vous aurez une vie aisée

SAUCISSE **la manger :**
vous désirez réaliser un nouveau projet. La chance vous sourira

la faire :
harmonie familiale et tranquillité

SAUCISSON **le manger :**
vous jouissez d'une excellente santé

le voir :
soyez plus réfléchi ou vous le regretterez

SAUGE **la manger :**
vous jouissez d'une excellente santé
vous aurez une longue vie

SAULE **le voir :**
vous aurez une grande déception amoureuse
tristesse et chagrins

SAUTER **un obstacle :**
vous arriverez à éviter un grave danger

dans l'eau :
quelqu'un essaye de vous tromper

un fossé :
vous réussirez à payer toutes vos dettes

SAUVAGE **l'être :**
vous vous sentez incompris dans votre famille
tristesse et rancœur

le voir :
danger
vous perdrez beaucoup d'argent

SAUVER **quelqu'un d'un danger :**
votre aide sera payée par de l'ingratitude

être sauvé :
il vous faudra engager une grosse dépense

SAVON **l'utiliser :**
vous éclaircirez une situation embrouillée

en voir la mousse :
une personne amie trouvera la solution d'un de vos problèmes

SCIE **s'en servir :**
vous aurez beaucoup de succès dans le domaine professionnel, mais n'exagérez pas car vous pourriez être victime d'une dépression nerveuse

la voir :
vous atteindrez le but que vous vous étiez fixé

SCIURE **la manger :**
vous tomberez gravement malade

l'étaler :
vous arriverez à résoudre une situation dangereuse et embarrassante

SCORPIONS **être mordu :**
vous courez un grave danger
peur et dégoût

SCULPTEUR **le voir :**
quelqu'un vous montrera sa reconnaissance
gardez-vous des flatteurs

l'être :
vous avez des tendances artistiques cachées

SEAU **le voir plein :**
votre activité est très fructueuse. Richesses futures

le voir vide :
votre situation financière n'est pas des meilleures

le remplir :
aventure sensuelle
votre travail ira beaucoup mieux

SECHER **se sécher avec une serviette :**
vous changerez de travail et de domicile

sécher du linge :
un de vos parents tombera malade

SEDUIRE **être séduit :**
vous ne jouissez pas d'une bonne réputation

séduire quelqu'un :
vous ne perdez jamais une occasion lorsqu'elle se présente, mais votre instabilité affective vous rend insatisfait et mécontent de vous

SEIN **avoir une poitrine très développée**
prospérité et grossesse heureuse
chance

avoir des seins malades ou blessés :
maladie

avoir des seins qui tombent :
pleurs, pauvreté, deuil familial

en avoir plusieurs :
adultère, enfants illégitimes

avoir de la poitrine (dans le rêve d'un homme) :
c'est un funeste présage qui annonce un grand malheur

SEL **le répandre :**
malchance. Il se peut qu'un de vos désirs ne se réalise pas

le manger :
votre situation matérielle empirera

le voir :
chance dans votre travail

SELLE **la voir, s'en servir :**
chance dans votre travail
vous ferez de grands bénéfices et vous aurez de grosses satisfactions

la tenir dans les mains :
si vous jouez, vous aurez de la chance

SELLE (aller à la) le sort vous réserve de la chance et du succès

SERMON **le faire :**
c'est à cause de votre pédanterie que vous n'attirez pas la sympathie des gens

être sermonné :
tristesse, petits problèmes

SERPENT **le voir :**
mort
soyez en garde contre des personnes déloyales qui veulent vous faire du mal

le tuer :
un de vos ennemis deviendra inoffensif

le fouler aux pieds :
vous êtes entouré d'ennemis

en voir sortir un d'un arbre :
vous serez vexé par un étranger

en être mordu :
richesse, mais gare à un danger

en avoir un qui s'enroule autour de soi :
vous êtes instinctif et violent
érotisme et sensualité effrénés

SERRE **la voir :**
votre carrière sera brillante. Vous n'aurez aucune difficulté à atteindre votre but

SERRURE **ne pas arriver à la faire fonctionner :**
gare aux voleurs
gardez-vous d'un danger

l'ouvrir :
vous conquerrez avec votre enthousiasme la femme que vous aimez

SERVICE **le rendre :**
vous êtes moins apprécié

en bénéficier :
vous aurez de la peine

SINGE **le voir :**
quelqu'un veut vous porter préjudice ou vous tromper

le taquiner :
vous avez causé beaucoup de peine à quelqu'un sans vous en rendre compte

le tuer :
vous aurez le dessus sur un dangereux adversaire

en être mordu :
dans le rêve d'une personne jeune : début d'un nouvel amour
dans le rêve d'une personne âgée : maladie

s'il se moque de vous :
des ennemis cherchent à vous nuire en recourant à l'astuce

SKI **rêver de skier :**
c'est avec facilité que vous vaincrez tous les obstacles et que vous parviendrez à une position enviée

SLIP **le voir :**
vous avez des tendances immorales
vous avez une nature sensuelle et excessive

SŒUR **la voir :**
la consolation et la compréhension vous seront données lors d'un moment difficile

l'être :
vous avez beaucoup de foi

SOIE **l'acheter :**
vous traversez une période de chance mais elle ne durera pas longtemps

porter un vêtement en soie :
vous êtes vide et exhibitionniste et cela vous rend antipathique

SOIF **se désaltérer dans une source fraîche :**
votre futur s'annonce prospère et heureux

ne pas arriver à se désaltérer :
vous n'arriverez pas à obtenir ce que vous désirez

SOLDATS **au repos :**
danger imminent

en marche :
vous serez témoin d'événements importants

ivres :
vous serez au milieu d'une rixe

blessés :
vous subirez un grave préjudice

SOLEIL **le voir se lever :**
chance dans les activités à peine entreprises
vous aurez un enfant

le voir sombre, brumeux, opaque :
il vous faudra surmonter des obstacles
il est possible que vous ayez quelque maladie aux yeux

le voir toucher la terre :
danger d'incendie

voir une éclipse de soleil :
cécité
deuil dans la famille

resplendissant, qui pénètre dans la maison :
chance, joies familiales, richesses

SORCIERE **la voir :**
hypocrisie, trahison, pièges et dangers

SORTIR **de la maison :**
si personne ne vous en empêche : vous réaliserez un de vos plus vifs désirs
si vous vous heurtez à la résistance de quelqu'un : maladie grave, danger mortel

SOUFFLER **sur le feu :**
vos amis seront mis au courant d'une médisance faite sur votre compte
vous êtes trop idéaliste et la réalité vous déçoit facilement

SOUFRE **le voir, le sentir :**
vous échapperez à un danger d'incendie

SOUPE **la manger :**
le moment n'est pas des plus favorables mais cela s'arrangera

salée :
vous aurez des peines et des ennuis

SOURCE (voir **Eau**)

la voir :
vous conclurez d'excellentes affaires

en boire l'eau :
guérison rapide

SOURCILS **se les brûler :**
vous entrerez en conflit avec votre famille

les avoir beaux et épais :
santé et chance

SOURD **l'être :**
vous entendrez quelque chose qui vous troublera

en voir un :
vous négligez d'importants détails. Faites attention car vous pourriez gâcher la position que vous avez eue tant de mal à gagner

SOUTERRAIN **s'y perdre :**
chance rapide et voyage satisfaisant du point de vue économique

marcher longtemps dans un souterrain sombre :
vous parviendrez à la fortune et aux honneurs mais après des moments difficiles et seulement si vous modifiez votre caractère pessimiste toujours en proie au découragement

SQUELETTE **le voir :**
dans le rêve d'un malade : aggravation de la maladie, mort
dans le rêve d'une personne en bonne santé : maladie grave, vous aurez beaucoup de chagrins

STATUE **être transformé en statue de pierre :**
attention à un danger imminent

statue d'or :
chance, richesses
on vous prédit un voyage favorisé par la chance

statue de pierre :
malchance en amour. Vos sentiments ne sont pas partagés

statue cassée :
quelqu'un entravera un de vos projets

SUCRE **le voir en petits tas ou dans des tasses :**
quelqu'un veut vous tromper
faux amis et flatteurs

le manger :
plaisir, joie

le recevoir en cadeau :
quelqu'un vous aime secrètement

SUICIDER (SE) **se voir soi-même :**
naissance imminente dans la famille

voir quelqu'un :
votre comportement incorrect causera de graves préjudices

SUREAU **manger des baies de sureau :**
votre santé s'améliorera considérablement

le voir :
nouvel amour
satisfaction et joie

SURPRISE **l'avoir :**
une chose que vous gardiez jalousement cachée sera bientôt connue de tous

T

TABAC **le fumer :**
vous éprouverez du plaisir, mais cela ne durera pas

l'aspirer par le nez :
vieillesse précoce, bonnes affaires

le répandre par terre :
brève séparation de très chers amis

l'acheter :
vous devrez engager une multitude de petites dépenses

TABLE **s'asseoir à une table où le couvert est mis :**
quelqu'un fait des médisances sur votre compte

TABLEAU **représentant un portrait :**
vous aurez une joie qui durera

représentant un paysage :
vous parviendrez à la richesse et aux honneurs sans trop de peines

l'accrocher au mur :
vous recevrez des marques de gratitude et d'honneur

l'enlever :
ingratitude

le peindre :
vous nouerez une nouvelle amitié

l'acheter :
vous vous marierez et vous aurez des enfants

TABLIER **le voir :**
n'écoutez pas des bavardages qui sont faux

le laver :
vous êtes trop faible et vous vous laissez dominer par les autres

le perdre :
quelqu'un vous possédera

tablier à bavette :
nouvel amour

TACHE **l'assigner à quelqu'un :**
quelqu'un vous hait et vous ne faites aucun effort pour être aimé

en être chargé :
vous aurez bientôt des nouvelles d'une personne qui se trouve au loin

TACHES **sur ses vêtements :**
vous aurez des discussions en famille

sur la figure :
vous tomberez malade

taches de sang sur un mur :
vous recevrez de mauvaises nouvelles de la part de personnes qui vous sont proches

taches d'huile par terre :
vous êtes l'objet de médisances

TAIE (d'oreiller) **la voir :**
si vous n'êtes pas encore marié, vos noces sont proches

TAILLEUR **l'être :**
si ce n'est pas votre profession dans la vie réelle, votre conjoint se montrera déloyal envers vous
dans le rêve d'une femme : votre besoin d'affection sera bientôt satisfait

le voir :
accroissement de votre patrimoine

se faire prendre ses mesures :
vous désirez plaire aux gens

TALISMAN **le posséder :**
vous devrez traverser des moments difficiles mais vous réussirez toujours à vaincre l'adversaire

TALON **se blesser au talon et avoir mal :**
on vous nuira

TAMBOUR **entendre le bruit du tambour :**
danger imminent

jouer du tambour :
risque d'une catastrophe naturelle
vous bavardez trop et vous risquez de vous nuire

TAMISER **quelque chose :**
vous gaspillez en vain trop d'argent. Bientôt vous serez en difficulté et personne ne vous aidera

TAMPON (cachet)

le voir :
vous recevrez de bonnes nouvelles, chance

TAONS **en être piqué :**
des personnes importantes vous menaceront
infidélité et disputes familiales

TAPIS **le faire :**
agréables réunions mondaines

le posséder :
vous jouirez d'une très bonne position

TARDER **être en retard pour prendre un moyen de transport :**
joie éphémère
il se peut que vous gagniez à la loterie

TARENTULE **la voir :**
vous partirez en voyage pour un an au moins

en être mordu :
dangers et chagrins

TAROTS **se les faire faire :**
vous êtes soucieux et vous ne savez pas quelle décision prendre. Pensez-y longuement et soyez prudent

les faire :
ce n'est pas le bon moment pour jouer à la loterie

TASSE **la casser :**
peines et désaccord en famille

la voir :
vous recevrez bientôt un cadeau que vous apprécierez

TAUPE **la voir :**
quelqu'un complote pour vous nuire.
Comportez-vous avec loyauté

TAUREAU **menaçant :**
malheur, graves dangers

doux :
chance, amour sensuel, joie

l'acheter :
querelle dans la famille

en tuer un qui vous menace :
vous échapperez à un danger

TELEGRAMME **l'envoyer :**
vous recevrez bientôt de bonnes nouvelles

le recevoir :
vous serez mis devant une alternative

TELEPHONER **à quelqu'un :**
une de vos curiosités sera satisfaite
vous désirez faire savoir quelque chose à la personne que vous aimez. Soyez moins timide et embarrassé car vous n'avez rien à craindre

TELESCOPE **s'en servir :**
vous êtes trop pédant et tatillon. Vous êtes occupé par des vétilles et vous négligez un grave problème qui devient dangereux

y voir quelque chose :
vous arriverez à une bonne position
voyage

TELEVISION **la regarder :**
vous recevrez une nouvelle inattendue qui vous fera plaisir

TEMPETE **s'y trouver, la voir :**
vous avez un accident, néanmoins il n'y a pas de blessé
obstacles, dangers, dégâts matériels
une querelle familiale est possible

TEMPLE **y entrer :**
changement en vue. Vous ferez une analyse intérieure et heureusement vous arriverez à vous

comprendre
joie

TEMPS **beau temps :**
chance
vous recevrez une bonne nouvelle

mauvais temps :
disputes dans la famille, chagrins

TENTE **y habiter :**
vous ferez un voyage fatigant

la voir :
aventures inattendues, instabilité émotive et affective

TERRASSE **la voir :**
vous savez bien des choses qui sont cachées à la plupart des gens

s'y trouver :
vous êtes sociable et vous avez de nombreux amis

TERRE **en être recouvert et risquer de suffoquer :**
la situation est difficile mais si vous restez inébranlable et vous ne vous laissez pas écraser, vous serez hautement honoré et très riche

TESTAMENT **le faire :**
votre vieillesse sera longue et sereine

le voir :
héritage inattendu

TETE **être sans tête :**
vous serez offensé dans votre dignité et dans votre orgueil, mais votre attitude passive et votre manque de confiance ne vous font certes pas une bonne réputation. Soyez un peu plus volontaire et décidé, cela améliorera la situation

la couper à quelqu'un :
vous payerez des dettes lourdes et préoccupantes

tête rasée :
vous serez vaincu

tête chauve :
vous serez aimé

TETE DE LIT **voir celle de son lit :**
vous entendrez des propos rnédisants sur votre compte

TETE DE MORT **la voir :**
quelqu'un vous hait et pourrait vous nuire énormément

THE **le boire :**
maladie bénigne

THEATRE **y réciter :**
vous vivrez une aventure imprévue

le voir :
vous êtes trop ambitieux et vous aspirez à une position supérieure à vos possibilités. Soyez plus modeste dans vos aspirations

THERMOMETRE **le voir :**
la situation est sur le point de changer. Votre vie future prendra la direction que vous lui donnerez

thermomètre médical :
malaise physique
quelqu'un de votre famille tombera malade

THORAX **sain et large :**
chance, joie

poilu :
dans le rêve d'un homme : richesse et gains inespérés
dans le rêve d'une femme : mort du conjoint

THYM **en sentir l'odeur, le cueillir :**
chagrins, grande douleur et larmes

TIGRE **en être assailli :**
funeste présage. Votre équilibre mental est compromis, prenez les mesures qui s'imposent

le voir :
vous avez un adversaire dangereux et sans scrupules

TILLEUL **en voir un :**
votre vie sera sereine et sûre

y grimper :
vous parviendrez à une position enviable

le couper :
chagrins et querelles en famille

TIMBRES **les voir ou les coller :**
vous recevrez bientôt des nouvelles d'un parent qui se trouve au loin

les collectionner :
vous faites un effort totalement inutile

TIRELIRE **la voir, la remplir :**
petits gains mais réguliers. Tranquillité économique bien gagnée

la casser :
vous devrez faire une grosse dépense

TIRER **entendre :**
maladie proche

avec une arme à feu :
vous êtes violent et sensuel de nature. Vous êtes souvent attiré par des femmes fascinantes infidélité

TOILE (voir **Etoffe**)

TOIT **le voir :**
vous êtes à l'abri des dangers

tomber du toit :
vous recevrez une nouvelle désagréable. Disgrâce

l'arracher :
noces imminentes et enfants

le voir brûler :
vous deviendrez riche et célèbre grâce à des activités favorisées par la chance

TOMATE **la manger :**
vous toucherez de l'argent que vous pensiez perdu depuis longtemps

la voir :
vous êtes très traditionnaliste. Vous aspirez à des liens sentimentaux durables et sincères

TOMBEAU **voir enterrer quelqu'un :**
noces imminentes, acquisition de biens, prospérité. Présage de bon augure

endommagé ou en ruine :
malchance ou tristesse

y être introduit vivant :
malchance, tristesse
il se peut que vous soyez incriminé et emprisonné

TOMBER **dans un précipice :**
mauvaise santé (troubles de la tension)
malchance dans les affaires

parce qu'on vous a poussé :
désastre financier, vous perdrez vos biens

cheveux qui tombent :
un de vos chers amis mourra

d'un pont :
vous êtes nerveux et au bord de la dépression.

Relaxez-vous, tout peut se résoudre si vous
restez calme

TOMBER A VERSE **entendre le bruit de l'eau :**
il vaut mieux que vous renvoyiez un voyage car
il serait voué à la malchance

TONNEAU **en avoir un rempli de vin :**
abondance, richesse

vide :
pauvreté, jours maigres et manque d'affection

qui fuit :
vous subirez une perte d'ordre financier

le rouler :
vos affaires seront bonnes

TONNERRE **sans éclair :**
problèmes
gardez-vous des personnes déloyales

avec des éclairs :
pour l'instant vous n'arriverez pas à ce que vous
voulez, mais ne désespérez pas

TORCHE **éclairer son chemin avec une torche :**
chance, début d'une longue et heureuse relation
amoureuse désirée depuis longtemps

TORRENT **impétueux qui entraîne tout sur son passage :**
vous pourriez être victime d'une passion
dangereuse
mauvaises affaires

grand et large :
vous parviendrez au sommet de la fortune

TORTUE **la voir dans la rue :**
une affaire que vous avez très à cœur sera
retardée. Ayez un peu plus de courage et de
volonté, en outre ne vous laissez pas anéantir par
les événements

la manger :
après bien des peines vous obtiendrez ce que vous désirez

TORTURER **être torturé :**
vous serez injustement querellé. Mais arrêtez de vous lamenter, vous avez la manie de la persécution

torturer quelqu'un :
vous éprouvez des remords pour une action déloyale commise dans le passé

TOUR **y être enfermé :**
la trahison d'une personne que vous considériez comme amie vous mettra sérieusement en danger

y monter :
chance, avantages

la voir s'écrouler :
vous perdrez la liberté d'action

TOURBILLON **être pris dans un tourbillon :**
vous vivrez des journées tumultueuses qui secoueront votre apathie

TOURTERELLE **la voir :**
vous êtes sociable et cordial. Vous avez une foule d'amis

la mettre en cage :
tristesse, querelle

la tenir chez soi :
harmonie familiale

TOUX **l'avoir :**
léger malaise

voir quelqu'un qui en souffre :
gardez-vous des flatteurs

TRAHIR **être trahi :**
vous aurez affaire avec la justice

être trompé par la personne aimée :
votre jalousie ruinera une relation heureuse

trahir quelqu'un :
vous aurez de nombreux obstacles à vaincre
changement de travail

TRAIN **voyager en train :**
vous aurez un procès mais vous le gagnerez

le voir dérailler :
danger de mort

le manquer :
la concurrence n'atteindra pas des résultats aussi brillants que les vôtres, toutefois ne vous abandonnez pas à votre nature paresseuse et conciliante

TRAINEAU **partir en traîneau :**
vous arriverez à obtenir une chose que vous désiriez depuis longtemps, mais vous serez déçu

le voir :
joies et amusements simples

TRAITES **les émettre :**
vous avez des difficultés dans vos affaires
vous êtes trop irréfléchi, administrez vos biens avec plus de prudence

les payer :
malgré de gros problèmes (que vous résoudrez) vos affaires marcheront bien

TRANSPIRER **être couvert de sueur :**
il vous faudra affronter des créanciers sans pitié et sans scrupules
surveillez votre santé, une dépression nerveuse serait à craindre avec tous les soucis que vous avez eus ces derniers temps

TRAPPE **être pris dedans :**
de faux amis vous tromperont

la voir :
vous subirez un important dommage matériel

TRAVAILLER **faire un travail :**
l'harmonie dans votre famille, la prospérité dans vos affaires et l'avancement dans votre carrière vous sont annoncés

faire un travail qu'on ne connaît pas pour le compte de quelqu'un d'autre :
présage de grande prospérité pour le futur

avec entrain mais ne pas finir son ouvrage :
vous polémiquez trop souvent en vain

TREBUCHER faites attention autrement vous commettrez une grave erreur. Considérez plus à fond la situation

TREMBLEMENT DE TERRE **le voir :**
il y aura des changements radicaux dans votre vie. Soyez décidé et essayez de voir clair en vous

s'il cause des dégâts :
ruine, pertes d'ordre financier

TRESOR **en trouver un très précieux :**
un de vos espoirs sera déçu, mais ne vous abandonnez pas au pessimisme, vous devez seulement vous créer des buts plus réalisables et rationnels

TRESSE **la faire :**
vous vivez un amour passionné

la porter :
quelqu'un veut vous tromper

la couper :
vous modifierez votre esprit rétrograde et bigot et vous vous sentirez plus serein

TRIBUNAL **le voir :**
problèmes, angoisses, querelles et dépenses importunes
dans le rêve d'un malade : aggravation de la maladie

TROMPER (SE) **dans un calcul :**
un de vos projets ne pourra pas sc réaliscr

dans une évaluation :
vous êtes trop impulsif et cela pourrait vous nuire

TRONC **d'arbre :**
vous aurez des bénéfices très intéressants

s'y asseoir :
votre activité est solide et sûre

TROU **en avoir un dans ses habits :**
vous perdrez de l'argent

y tomber :
vous tomberez dans un piège, vous avez de mauvaises fréquentations

TROUPEAU **de chevaux :**
votre carrière sera rapide

de bœufs :
chance et richesse

le regarder :
vous êtes avare

y être au milieu :
vous êtes irréfléchi et impulsif, faites preuve d'un peu plus de pondération en agissant

TRUITE **la manger :**
vous recevrez une mauvaise nouvelle

la pêcher :
chance au jeu

la voir dans un torrent ou dans un fleuve :
vous aurez des moments très heureux

TUBE **le voir :**
vous n'avez pas l'esprit d'organisation et cela vous causera des pertes d'ordre financier colère

cassé :
quelques problèmes dans le domaine professionnel

TUER (voir **Mort**)

une femme :
vous avez des problèmes d'argent, vous vous sentez faible et vous avez peur

par jalousie :
vous êtes aimé et probablement vous contracterez mariage

par légitime défense :
tenez-vous en garde contre de faux amis

un animal :
vous êtes en danger

des animaux :
mauvais présage qui n'annonce rien de bon

être tué :
chance, vous êtes sous d'heureux auspices

TUILES **les voir :**
chance, protection, sécurité

les voir cassées :
chagrin, danger

les voir tomber :
querelle familiale, ennuis

les voir tomber du toit de sa maison :
deuil dans la famille

TULIPES **les cueillir :**
changement en vue

les soigner :
la personne dont vous êtes amoureux est vide, présomptueuse et souffre de dépressions

les voir :
vous êtes gai et insouciant

TURQUOISES **les recevoir en cadeau, les porter :**
chance. Vous arriverez à réaliser un de vos projets

TYPHON **l'affronter :**
vous avez une mauvaise réputation

le voir :
la situation est chaotique et épineuse mais elle s'améliorera rapidement

TYRAN **l'être :**
vous êtes faible et vous manquez d'autorité. Faites-vous valoir un peu plus si vous voulez être respecté

le voir :
vous vous élèverez dans la voie hiérarchique

U

ULCERE **aux extrémités inférieures :**
ralentissement dans votre travail

dans le dos :
vieillesse triste

aux extrémités supérieures :
deuil dans la famille

UNIFORME **le porter :**
ce songe prédit de nouvelles aventures. Réfléchissez un peu plus avant d'agir car vous pourriez courir un grave danger

UNIVERSITE **la voir :**
vous n'êtes pas encore mûr. Il y a de grosses lacunes dans votre formation professionnelle et c'est ce qui entrave et ralentit votre travail

URINE **la voir :**
vous subirez une perte

trouble :
surveillez votre santé

la boire :
vous guérirez rapidement

USINE **la voir :**
réussite éclatante dans votre travail

la posséder :
votre carrière sera brillante mais seulement après avoir parcouru un long chemin hérissé d'obstacles

UTERUS **maternel :**
il y aura bientôt une naissance dans la famille

V

VACANCES **être en vacances :**
finalement vous aurez un peu de repos et des distractions, vous l'avez bien mérité

les désirer :
n'exagérez pas trop car vous pourriez être victime d'une dépression nerveuse

VACCINATION **la faire :**
vous êtes triste et découragé. Un voyage favorisé par la chance vous distraira et vous fera renaître

voir quelqu'un se faire vacciner :
quelqu'un a besoin que vous l'aidiez moralement

VACHE **la voir grasse :**
abondance et richesse
grâce à votre facilité d'adaptation vous supporterez très bien le changement de vie qui se prépare pour vous

la voir maigre :
la faim régnera dans la famille
vous êtes trop aboulique et résigné, ce n'est pas comme cela que vous arriverez à ce que vous voulez

la voir traire :
chance

VAGABOND **l'être :**
vous devrez affronter un long voyage aventureux

le voir :
petit chagrin

VALISE **la voir :**
vous ferez très prochainement un voyage agréable

VALLEE **la voir :**
peur, problèmes, mélancolie

la traverser :
vous réussirez à réaliser ce que vous désirez

VALSE (voir **Danser**)

VAMPIRE **en être mordu :**
des flatteurs déloyaux cherchent seulement à vous exploiter

VAPEUR **la voir :**
vous êtes très ambitieux, mais vous avez une nature lente et paresseuse, et c'est ce qui ralentira votre ascension

VARIOLE **en être atteint :**
vous avez honte de vous
richesses et bien-être ont été conquis d'une façon peu honnête

voir quelqu'un qui en est frappé :
vous recevrez une somme d'argent inattendue

VASE **le casser :**
chagrins et ennuis dans la famille

en voir un plein de fleurs :
vous aurez bientôt une nouvelle qui vous fera très plaisir
vous êtes aimé

VAUTOUR **le voir :**
c'est un présage de chance dans le domaine financier mais méfiez-vous d'un banquier sans scrupules

si c'est un médecin qui le voit :
mort d'un de ses patients

VEAU **gras :**
des années d'abondance vous sont annoncées

maigre :
pauvreté, vous aurez des problèmes économiques

d'or :
vous acquerrez de grandes richesses
vous avez tendance à être avare et cela vous empêchera d'apprécier l'aisance dans laquelle vous vivez

VEILLER **pour aller à une fête :**
le mariage et la vie de société sont sous de favorables auspices
vous bannirez la tristesse et la mélancolie
adultère probable

un malade :
vous avez quelques chagrins
vous jouissez d'une excellente santé

VELOURS **le tenir dans les mains :**
nature sensuelle

porter un vêtement en velours :
richesses et bonne position sociale

l'acheter :
vous vivez dans l'aisance et sans problèmes

VENDANGE **la faire :**
une période de grandes joies, de bonne santé et de plaisirs physiques vous attend
séduction

VENDRE **quelque chose :**
vous vous trouvez pour l'instant dans l'embarras du point de vue économique

VENT **froid et violent :**
des ennemis déloyaux et sans scrupules vous nuiront
ne vous laissez pas avoir

agréable et chaud :
les promesses qu'on vous fera ne seront pas tenues
bonne nouvelle

porteur de nuages :
malchance, obstacles à vaincre

qui éclaircit et rend l'air limpide :
la situation s'améliorera considérablement

VENTRE **voir le sien :**
vous vous marierez et vous aurez beaucoup d'enfants

le voir gras :
votre situation économique sera excellente

le voir maigre :
problèmes, querelles, pauvreté

VER A SOIE **le voir :**
vous commencerez à travailler. Vous gagnerez beaucoup d'argent

VERGER **s'y promener :**
votre vie sera prospère et les bonnes occasions ne vous manqueront pas

VERNIS **le voir :**
vous êtes superficiel et bien souvent vous ne voyez pas la vraie nature des choses

VERRE **le voir :**
vous devez boire moins d'alcool

y boire du vin :
des jours heureux s'annoncent

le casser :
un de vos ennemis mourra, disgrâce

l'offrir :
mort d'un ami

le recevoir :
vous mettrez au monde un enfant, si vous êtes célibataire vous convolerez en noces

fêlé :
vous serez trompé

vide :
vous aurez une grosse déception

VERRUES **les avoir :**
richesse, gros bénéfices

les voir :
des personnes déloyales essayent de trahir votre confiance

VERS **avoir le ver solitaire :**
vous serez offensé par un membre de la famille problèmes et ennuis

s'en débarrasser :
vous vous libérerez d'une personne hypocrite

les voir :
vous êtes trop précipité et vous arriverez à nuire à vous-même

les tuer :
vous sortirez d'une situation désagréable

les éliminer :
vous guérirez d'une maladie
vous l'emporterez sur une personne adverse

VETEMENT **en porter un vieux :**
vous atteindrez une situation de prestige

le voir :
maladie possible

le mettre dans une armoire :
renoncez à un projet qui vous semble impossible à réaliser

de deuil :
vous aurez une grande joie si vous n'êtes pas encore marié, les noces sont proches

VEUF **l'être :**
changement de situation. Le futur vous réserve de grandes joies

l'épouser :
vous recueillerez bientôt un héritage inespéré

VIANDE **la manger :**
bonheur, prospérité

de mouton et de bœuf :
vous aurez des problèmes familiaux

de porc :
richesse et abondance

la manger crue :
maladie
vous n'aurez pas de chance

humaine :
s'il s'agit d'un conjoint, ce dernier mourra

se manger l'un l'autre :
chance

manger sa propre chair :
dans le rêve d'une personne qui dispose de petits moyens : vous aurez finalement des richesses, des gains
dans le rêve d'une femme : vous deviendrez une prostituée
dans le rêve d'une personne aisée et riche : vous serez ruiné

si elle sent mauvais :
on vous demandera en mariage mais vous refuserez

VIEUX **le voir entrer dans la maison :**
harmonie familiale, bonheur et bien-être

le voir :
vous vivrez vieux

le devenir :
votre vieillesse sera sereine

VIGNE **la voir :**
si vous ne divulguez pas un de vos désirs secrets, vous arriverez à le réaliser

VILLAGE **le voir :**
présage de mauvais augure

y habiter :
vous mènerez une vie simple mais sans difficultés et sans souci

le voir incendié :
richesse, accroissement des biens

VILLE **se promener dans une ville inconnue :**
vous aurez un gros obstacle à vaincre. Tristesse
il est possible que vous fassiez un voyage

grande :
vous ferez de nouvelles expériences

petite :
soyez plus ouvert aux idées nouvelles, vous êtes très conformiste

VIN **le renverser :**
vous perdrez une excellente occasion
léger malaise

le boire :
vous goûterez les petites joies de la vie
vous résoudrez bientôt vos problèmes

VINAIGRE **le boire :**
vous vous disputerez en famille à cause d'un malentendu

le préparer :
vous avez l'intention de commetttre bientôt une mauvaise action

VIOLETTES **les voir dans un pré :**
vous réussirez dans votre travail. Vous ferez de très bonnes affaires

VIOLON **en jouer :**
une personne amie vous apportera du réconfort dans un moment de forte dépression

le voir :
votre amour n'est pas réciproque

VIPERE **en être mordu :**
vous serez trompé par une personne envieuse

la voir :
gardez-vous des flatteurs fascinants, ils ne cherchent qu'à vous tromper

la tuer :
vous aurez le dessus sur un ennemi dangereux

VISAGE **gai :**
chance dans tous les domaines

gonflé :
un de vos enfants tombera malade

ridé :
désaccord familial

à la peau lisse et au teint coloré :
bonne santé, joie

VISIONS **de personnes mortes :**
croyez à ce qu'ils vous diront dans le rêve
chance, protection

VISITE **la recevoir :**
vous aurez bientôt de bonnes nouvelles d'une personne qui se trouve au loin
réconciliation à la suite d'une violente dispute

VITRE **la couper :**
vous vous marierez dans l'année

la casser :
malchance, tristesse

opaque :
quelqu'un parle mal de vous

transparente :
vous avez des amis loyaux

voir à travers celle d'une fenêtre :
vous résoudrez avantageusement une affaire

VOILE **en porter un noir sur la tête :**
vous aurez un deuil dans la famille

en porter un blanc :
vous avez la foi et une vocation religieuse cachée
pureté d'esprit

VOILIER **le voir :**
voyage favorisé par la chance

voyage en voilier :
votre travail est irrégulier et instable

VOL **le commettre :**
vous êtes en danger. Vous serez trompé et vous n'aurez pas de succès

le découvrir :
vous récupérerez des biens perdus

VOLCAN **le voir éteint :**
vous aurez une aventure dangereuse
vous êtes souvent victime de passions violentes

le voir en éruption :
une passion irrésistible changera le cours de votre vie

VOLER **voler quelqu'un :**
vous aurez une aventure suspecte

être volé :
vous perdrez un ami cher

voler quelque chose :
d'autant plus élevée est la valeur de la marchandise volée, d'autant plus grave est le danger que vous courez

voler des objets sacrés :
dans le rêve d'un prêtre : chance
dans le rêve d'une autre personne : dangers, malheurs, tristesse

VOLER **se voir voler :**
changement heureux
dans le rêve d'un malade : mort

avec des ailes :
avancement dans votre profession, vous parviendrez au bien-être et à la richesse
affaires fortunées

sans ailes :
danger, peur, malchance

au-dessus de croisements et de tournants dangereux :
querelles en famille
gros chagrin

agilement et puis se poser à terre :
votre rapidité d'esprit vous permettra de conclure des affaires avantageuses
habilité

le vouloir et ne pas réussir :
malchance et malheur
dans le rêve d'un malade : son état empirera

VOLEUR **être volé :**
vous perdrez un ami

le voir :
aventure sensuelle

l'arrêter :
vous êtes mécontent et malheureux

VOLIERE **la voir, la posséder :**
vous aurez une famille nombreuse

VOMIR **du sang :**
votre situation économique changera radicalement

du catarrhe :
chance
vous arriverez à surmonter des problèmes pénibles

des aliments :
malheur, important dommage économique

ses viscères :
mort d'un de ses enfants

ruine
dans le rêve d'un malade : mort

VOYAGE **le faire :**
changement de vie

le faire en compagnie :
de nouvelles médisances se feront sur vous

VOYAGER **et être double**
vous vivrez longtemps

voyager en train :
vous aurez affaire avec la justice. Vous gagnerez un procès

voyager en auto :
bonheur et désirs satisfaits
aventure amoureuse

voyager en avion :
de vains désirs seront satisfaits

VOYANTE **s'y rendre :**
il arrivera ce que la voyante vous a prédit dans le rêve
vous êtes plein de problèmes et d'espoirs déçus

l'être :
vous acquerrez une vaste expérience et des richesses

W
Y
Z

WAGON **de chemin de fer :**
vous courez un risque considérable

YEUX **ne pas arriver à les ouvrir :**
amour passionnel

les avoir malades :
vous ferez de mauvaises affaires

les perdre :
malheur
mort d'un de vos enfants ou d'un des membres
le plus intime de votre famille

beaux et en bonne santé :
grand bonheur, amour sincère

larmoyants :
malchance

mal aux yeux :
malaise, maladie bénigne

ZEBRE **le voir :**
il vous faudra faire face à d'énormes difficultés
mais vous arriverez à les vaincre

TROISIEME PARTIE
La lune et les rêves

---

par Angèle Toffoli

Influence de la lune sur les rêves

Tous les experts d'occultisme, d'astrologie et d'oniromancie sont d'accord pour affirmer que la Lune exerce une influence particulière sur les rêves.
Le cycle lunaire est d'environ 29-30 jours[1] ; on aura donc trente possibilités diverses de divination. Le tableau ci-dessous indique les influences négatives ou positives de la Lune sur les songes, en fonction du jour où a eu lieu le rêve. La numérotation des jours se fait en considérant que le premier jour est celui où apparaît la **Nouvelle Lune.**

1er jour : les rêves sont prophétiques et généralement agréables ;

2e jour : en ce jour, les rêves ne sont pas véridiques ;

3e jour : ici aussi, les rêves sont à ne pas prendre en considération ;

[1] Le mouvement de rotation de la Lune autour de son propre axe et autour de la Terre (mois sidéral) s'accomplit en 28 jours environ, tandis que le mouvement que la Lune accomplit avec la Terre autour du Soleil, dure de 28 à 30 jours (mois lunaire), déterminant les variations des phases lunaires. Pour ce qui concerne les rêves, nous avons pris en considération le mois lunaire et appliqué les mêmes règles que celles utilisées par l'astrologie et l'occultisme.

4e jour : les bons rêves se réaliseront ;

5e jour : rêves prophétiques mais de mauvais augure ;

6e jour : rêves véridiques mais qui se réaliseront avec difficulté ;

7e jour : rêves prophétiques à ne pas révéler ;

8e jour : les rêves se réaliseront ;

9e jour : les rêves sont favorables ;

10e jour : les rêves sont heureux et se réaliseront très prochainement ;

11e jour : rêves sans aucune signification ;

12e jour : rêves prophétiques ;

13e jour : tout ce que l'on aura rêvé se réalisera ;

14e jour : les rêves se réaliseront, mais dans beaucoup de temps ;

15e jour : rêves propices aux affaires de cœur ;

16e jour : la signification des rêves est véridique ;

17e jour : rêves à garder secrets et de réalisation immédiate ;

18e jour : signification identique à celle du 17e jour ;

19e jour : la signification du rêve est d'interprétation douteuse ;

20e jour : rêves concernant les liens affectifs ;

21e jour : les rêves ne sont pas véridiques ;

22e jour : le rêve peut être faux, mieux vaut ne pas s'y fier ;

23e jour : même signification qu'au jour précédent ;

24e jour : rêves à signification incertaine ;

25e jour : le rêve a une signification ambiguë ;

26e jour : rêve prophétique mais néfaste ;

27e jour : le rêve se réalisera ;

28e jour : le rêve se réalisera inévitablement même si, en général, il est de mauvais augure ;

29e jour : rêve prophétique qui se réalisera ;

30e jour : même signification que le jour précédent.

Interprétation des rêves avec la roue à cinq cercles

Si un rêve nous a particulièrement frappé et si nous reconnaissons en lui des signes prémonitoires qui nous semblent toutefois peu clairs, nous pourrions consulter la « Roue cabalistique du vénérable Beda », méthode ancienne de divination tirée d'un livre d'auteur inconnu, provenant de la bibliothèque de Monseigneur Barbarico et découvert au XVIIIe siècle par Ludovic Pellicano Podoliese. Nous avons essayé ci-dessous d'en faire une traduction plus moderne en respectant les significations de la traduction originale.

La « Roue » est formée de cinq roues qui contiennent :
– le numéro cabalistique correspondant à chaque lettre de l'alphabet *(tableau 1) ;*
– le numéro cabalistique de chaque jour de la semaine *(tableau 2)* ;
– le numéro cabalistique de chaque signe zodiacal *(tableau 3)* ;
– le numéro cabalistique de chaque mois selon le signe zodiacal correspondant *(tableaux 4 et 5)* ;
– le numéro qui renvoie aux cinq roues.
Afin de déchiffrer le rêve, on procédera de la manière suivante : on prend en considération *l'année pendant laquelle on a fait le rêve* et on ajoute :
– le jour du mois courant ;

La « Roue cabalistique du vénérable Beda ». Dessin original sur parchemin tiré d'un texte du XVIIIe siècle (**Manuscrit Fondation « Emile Mangini »**)

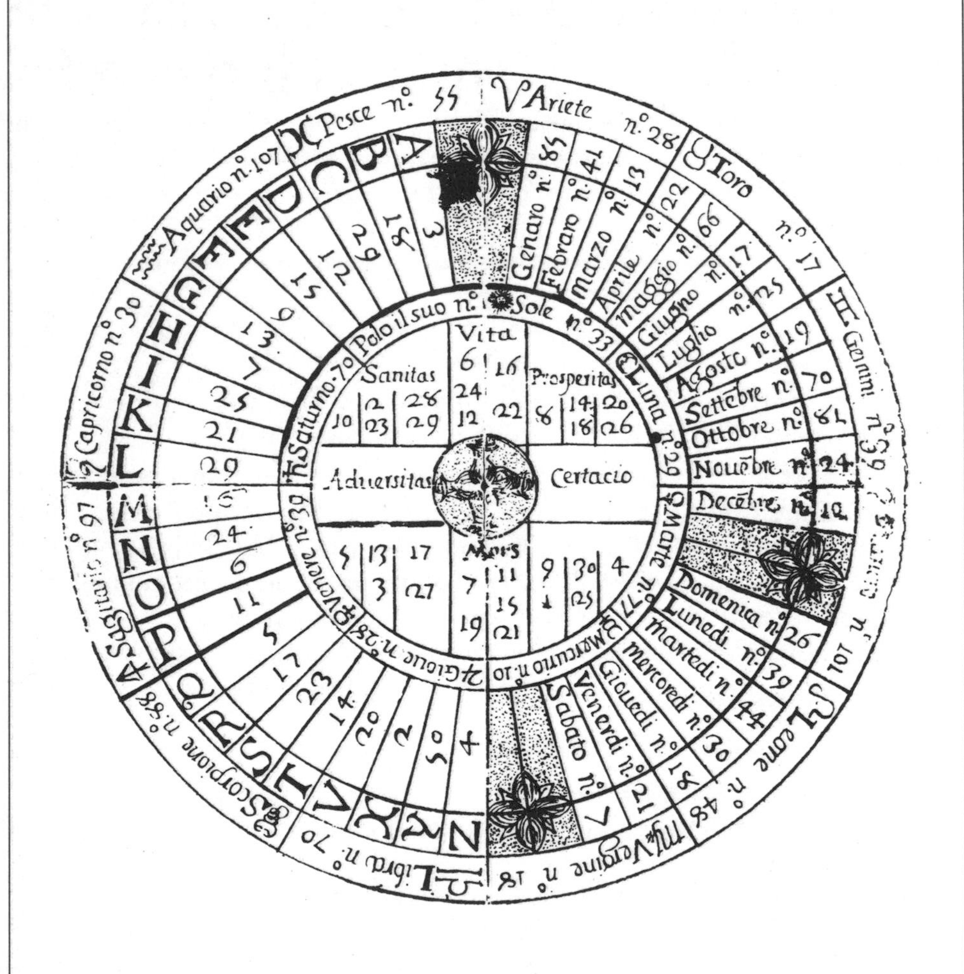

– le numéro cabalistique du mois courant *(tab. 5)* ;
– le numéro cabalistique du signe zodiacal du mois *(tab. 3)* ;
– le numéro correspondant au jour de la semaine *(tab. 2)* ;
– le numéro de la planète du jour (exemple : Vendredi est sous le signe de Vénus ; Samedi sous celui de Saturne, etc.) *(tab. 6)* ;
– le numéro de l'Epacte[1] (tab. *7)* ;
– le numéro des jours qu'a la Lune au moment du rêve, à calculer en partant de la Nouvelle Lune ;
– le numéro de la localité où l'on se trouve au moment du rêve ou celui de la localité la plus proche *(tab. 8)* ;
– le total que l'on trouve « en ayant fait la cabale » du nom et du prénom de la personne dont on a rêvé *(tab. 1)* ;
A partir de la somme ci-dessus, on obtient le total général ; on cherche dans le *tableau 9* le numéro qui se rapproche le plus du total ; le reste, *qui ne devra jamais dépasser 30,* sera interprété selon les réponses des cinq cercles.
Les trente réponses, subdivisées en cercles, se trouvent à partir de la page 396 et suivantes.

Exemple
M. PAUL BABIN, le 3 avril, a fait un rêve très étrange et veut en connaître la signification cabalistique en utilisant le procédé de la « Roue à cinq cercles ».

Voici comment l'on devra procéder :

année en cours		1982
jour du mois (vendredi)	+	3
numéro d'avril	+	22
numéro du taureau, signe zodiacal correspondant au mois d'avril	+	17
numéro correspondant au vendredi	+	21
Vénus, planète du jour	+	30
Epacte de l'année 1982	+	5

[1] L'Epacte est le nombre qui indique combien il faut ajouter de jours à l'année solaire pour qu'elle soit égale à l'année solaire.

âge de la Lune[1]	+	28
numéro de la localité où l'on a rêvé	+	47
total cabalistique du nom et du prénom[2]	+	151
total		2306
(voir tab. 9)	–	2310
		4

[1] Pour calculer les jours de la Lune, on compte toujours en partant du premier jour de la Nouvelle Lune.
[2] 151 + total des numéros correspondant aux lettres qui forment le prénom et le nom : P = 11 ; A = 3 ; U = 20 ; L = 29 ; B = 18 ; A = 3 ;B = 18 ; I = 25 ; N = 24.

On cherche maintenant à la page 398, au premier cercle dans lequel figure le chiffre restant « 4 », la réponse au rêve.

TABLEAUX POUR L'INTERPRETATION DES REVES SELON LA METHODE DE LA « ROUE DU VENERABLE BEDA »

Tab. 1 – Chiffre correspondant aux lettres de l'alphabet

A	=	3	N	=	24
B	=	18	O	=	6
C	=	29	P	=	11
D	=	12	Q	=	5
E	=	15	R	=	5
F	=	9	S	=	23
G	=	13	T	=	14
H	=	7	[1]U	=	20
I	=	25	V	=	20
J	=	1	W	=	6
K	=	21	X	=	2
L	=	29	Y	=	50
M	=	16	Z	=	4

[1] Les lettres U et V correspondent au même nombre, ayant à l'époque la même valeur.

Tab. 2 – Chiffre cabalistique des jours de la semaine

Dimanche	26
Lundi	39
Mardi	44
Mercredi	30
Jeudi	18
Vendredi	21
Samedi	7

Tab. 3 – Chiffre cabalistique des signes zodiacaux

Bélier	28
Taureau	17
Gémeaux	39
Cancer	101
Lion	48
Vierge	18
Balance	70
Scorpion	88
Sagittaire	97
Capricorne	30
Verseau	107
Poissons	55

Tab. 4 – Signes zodiacaux des mois

Janvier	Verseau
Février	Poissons
Mars	Bélier
Avril	Taureau
Mai	Gémeaux
Juin	Cancer
Juillet	Lion

Août	Vierge
Septembre	Balance
Octobre	Scorpion
Novembre	Sagittaire
Décembre	Capricorne

Tab. 5 – Chiffre cabalistique du mois

Janvier	85
Février	41
Mars	13
Avril	22
Mai	66
Juin	17
Juillet	25
Août	19
Septembre	70
Octobre	81
Novembre	24
Décembre	12

Tab. 6 – Chiffre des planètes correspondantes aux jours de la semaine

Dimanche (Soleil)	33
Lundi (Lune)	29
Mardi (Mars)	77
Mercredi (Mercure)	10
Jeudi (Jupiter)	28
Vendredi (Vénus)	30
Samedi (Saturne)	70

Tab. 7 – Chiffre des Epactes de 1980 à 2013

Année 1980	et	1999	Epacte	n. 13
Année 1981	et	2000	Epacte	n. 24
Année 1982	et	2001	Epacte	n. 5
Année 1983	et	2002	Epacte	n. 16
Année 1984	et	2003	Epacte	n. 27
Année 1985	et	2004	Epacte	n. 8
Année 1986	et	2005	Epacte	n. 19
Année 1987	et	2006	Epacte	n. 0
Année 1988	et	2007	Epacte	n. 11
Année 1989	et	2008	Epacte	n. 12
Année 1990	et	2009	Epacte	n. 3
Année 1991	et	2010	Epacte	n. 14
Année 1992	et	2011	Epacte	n. 25
Année 1993	et	2012	Epacte	n. 6
Année 1994	et	2013	Epacte	n. 17

Tab. 8 – Chiffre cabalistique des principales localités et pays[1] (page 396)

Paris	47	Provence	45
Rome	45	Madrid	46
Vérone	44	Marseille	46
Corse	44	Vienne	47
Innsbruck	45	Maroc	47
Tunis	44	Monaco	44
Pise	45	Argentine	46
Palerme	44	Portugal	48
Sardaigne	44	Toulon	45
Bologne	45	Lyon	46
Malte	43	Gibraltar	46
Venise	47	Constantinople	46
Florence	44	Corfù	46
Saragosse	44	Berne	47
Castille	45		

Tab. 9 – Progression des chiffres par 30, pour calculer les « restes »[1]

30.60	390	720	1050	1380	1710	2040	2370	2700	3030	3360
90	420	750	1080	1410	1740	2070	2400	2730	3060	3390
120	450	780	1110	1440	1770	2100	2430	2760	3090	3420
150	480	810	1140	1470	1800	2130	2460	2790	3120	3450
180	510	840	1170	1500	1830	2160	2490	2820	3150	3480
210	540	870	1200	1530	1860	2190	2520	2850	3180	3510
240	570	900	1230	1560	1890	2220	2550	2880	3210	3540
270	600	930	1260	1590	1920	2250	2580	2910	3240	3570
300	630	960	1290	1620	1950	2280	2610	2940	3270	3600
330	660	990	1320	1650	1980	2310	2640	2970	3300	3630
360	690	1020	1350	1680	2010	2340	2670	3000	3330	3660

[1] Tiré du texte de L. Pellicano Podoliese, 1700.

PREMIER CERCLE (chiffres restants : 1, 2, 3, 4, 5, 6)

N° 1. Une longue maladie surviendra brusquement ; vous serez obligé d'accepter un emploi qui ne vous plaît pas ; vous ferez un mariage difficile et sans espoir ; vos qualités morales seront valorisées ; vous n'obtiendrez pas ce à quoi vous avez droit ; vous recevrez de nombreuses offenses lors d'une dispute, mais vous en sortirez vainqueur ; vous aurez de grandes satisfactions ; vous ne serez pas volé ; vous aurez une femme (un mari) honnête ; vous serez vainqueur de votre ennemi ; des richesses sont en vue ; vous risquez de gros ennuis avec la justice ; vous ferez un bon voyage ; vous êtes un ami sincère ; vous recevrez des honneurs et des louanges bien mérités ; bonnes affaires, toute votre famille vous aidera ; vous arriverez à une position enviable et vous recevrez des honneurs et des récompenses.

Premier cercle : du n° 1 au n° 6

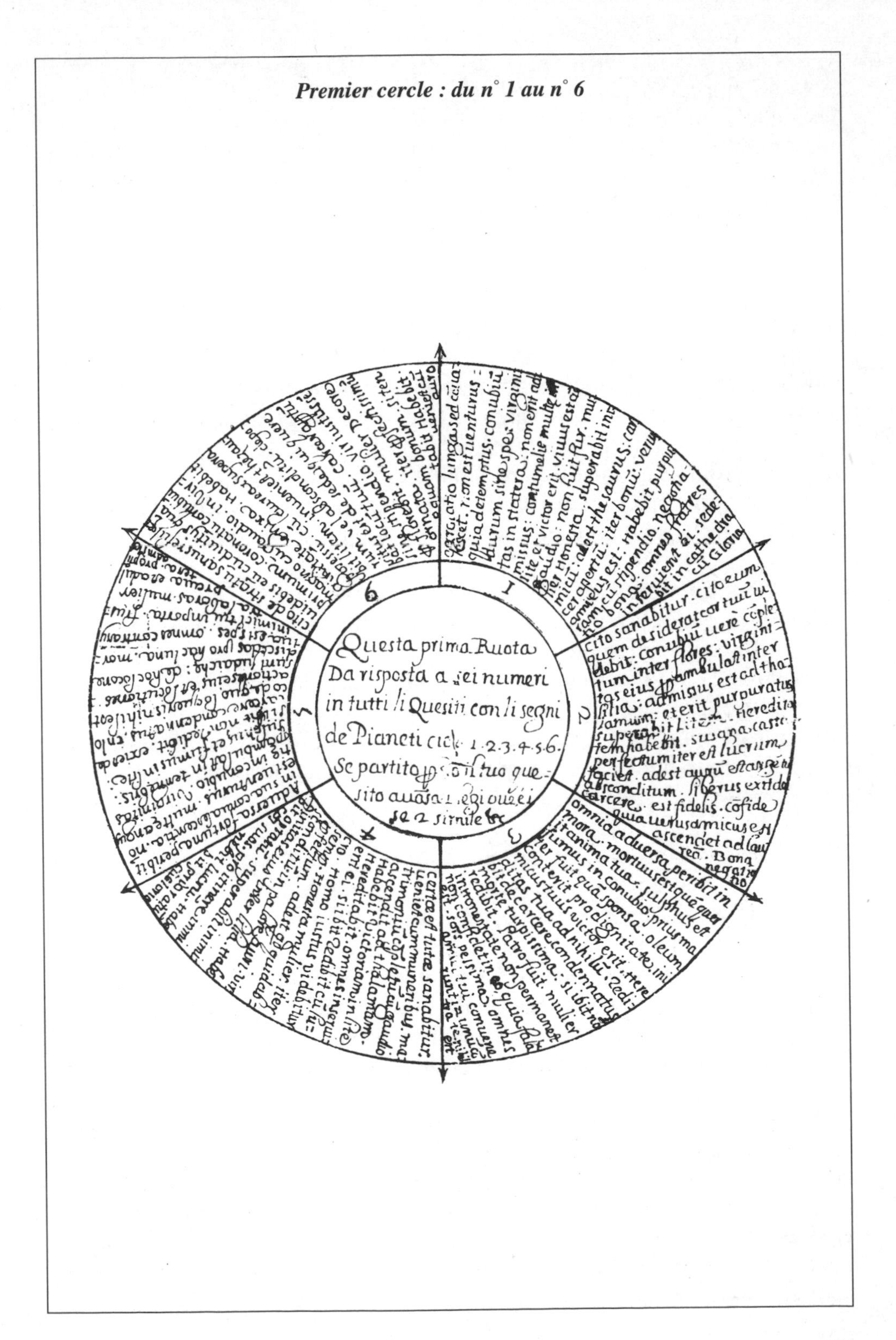

N° 2. Vous guérirez bien vite ; vos désirs seront sous peu exaucés ; vous ferez un mariage vraiment serein ; votre femme est pure et honnête ; vous deviendrez un homme important ; vous sortirez vainqueur d'une dispute ; vous hériterez ; votre femme (votre mari) sera honnête et fidèle ; vous ferez un voyage magnifique et vous gagnerez un procès ; vous êtes une personne fidèle ; vous avez un ami, faites-lui confiance ; vous passerez votre licence ; vous ferez de bonnes affaires.

N° 3. Vos difficultés disparaîtront définitivement ; la personne qui vous haïssait est morte ; disputes et mésententes avec votre époux(se) ; votre femme sera pour vous plus une mère qu'une épouse ; vous devrez beaucoup peiner pour obtenir une place de responsabilité ; vous recevrez un héritage qui n'aura aucune valeur ; vous irez en prison mais vous serez remis en liberté ; vous mourrez de façon ignominieuse ; si vous partez, vous ne retournerez plus ; votre femme (votre mari) sera infidèle ; on ne vous croira pas parce que vous êtes un menteur ; la chance ne vous sourira pas ; tous vos amis seront contre vous ; aucune nouveauté en vue.

N° 4. Vous guérirez certainement et définitivement ; vous recevrez des cadeaux ; vous ferez un heureux mariage et l'entente sera totale ; vous sortirez vainqueur d'un procès ; vous hériterez ; tout le monde vous aidera ; si vous partez, vous retournerez en ayant réalisé de bonnes affaires ; vous serez toujours considéré comme une personne juste ; vous aurez une femme (un mari) honnête ; faites attention à ne pas devenir esclave de l'argent ; vous obtiendrez ce que vous avez demandé ; vous obtiendrez une place de prestige.

N° 5. Tous vos problèmes seront terminés avec votre convalescence ; mariage malheureux ; ne vous fiez pas de votre époux (épouse) ; vous n'obtiendrez rien dans les procès ; vous ne retournerez pas d'un voyage ; vous serez condamné mais vous vous en tirerez ; il n'y aura autour de vous que fausseté et hypocrisie ; ne vous éloignez pas du milieu dans lequel vous vivez pendant l'actuelle phase lunaire ; l'espoir est mort ; essayez de combattre tous vos adversaires ; vous travaillerez inutilement ; vous aurez une femme méchante et adultère ; vous perdrez tous vos biens.

N° 6. Vous vous lèverez du lit bientôt en parfaite santé ; vous aurez plus tôt prévu ce que vous vouliez et vous deviendrez riche ; heureux mariage ; vous achèterez une propriété ; vous passerez votre licence ; vous gagnerez un procès ; vous trouverez un « trésor » même s'il est caché ; celui qui voulait prendre votre place sera chassé ; on reconnaîtra votre innocence, votre route ne sera pas semée d'embûches ; si vous risquez, vous aurez de bons résultats ; vous serez riche.

DEUXIEME CERCLE (chiffres restants : 7, 8, 9, 10, 11, 12)

N° 7. Vous recevrez de mauvaises nouvelles pendant votre maladie ; n'attendez pas que le pire arrive et prenez vos précautions ; vous ferez un mariage malheureux avec une femme (un homme) de mœurs faciles ; vous serez fort dans le malheur ; vous vivrez en frisant l'illégalité ; vous aurez une femme perfide ; si vous partez, vous marcherez dans les ténèbres ; vous ne trouverez rien de ce que vous cherchez ; ne vous fiez pas des personnes avec lesquelles vous parlez ; tout ira de pis en pis.

N° 8. Vous aurez une bonne santé ; vous hériterez ; votre mariage sera stable ; votre compagnon (compagne) sera une personne honnête ; vous vous marierez quand vous aurez déjà obtenu une charge de haute responsabilité ; vous serez élu ; vous recevrez un héritage ; vous trouverez dans un endroit impensable de l'or et de l'argent ; vous n'aurez aucun problème judiciaire ; si vous partez, vous reviendrez heureux ; vous êtes et vous serez toujours un homme (une femme) très honnête ; ayez confiance dans l'avenir, vous obtiendrez ce que vous désirez et tout le monde vous aidera.

N° 9. Vous guérirez certainement, mais votre maladie sera longue ; vous aurez des chagrins ; vous ferez un mariage clandestin avec une femme (un homme) peu digne de vous ; vous n'obtiendrez rien sans fatigue ; vous retrouverez ce que vous avez perdu ; vous êtes honnête ; vous partirez et vous retournerez en ayant gagné bien peu ; vous aurez bien des soucis ; vous aurez une femme (un mari) infidèle ; vous aurez une promotion et vous aurez une augmentation de salaire ; ayez confiance en autrui ; vous serez bien vite riche.

N° 10. Vous guérirez rapidement et votre maladie disparaîtra complètement ; vous serez bientôt heureux ; mariage contrarié avec une femme pure ; vous aurez une promotion ; vous gagnerez un procès ; vous hériterez prochainement ; vous serez un homme (une femme) juste et honnête ; vous irez en prison mais pendant très peu de temps, vous aurez une femme (un mari) adorable ; vous trouverez ce qui est caché ; si vous faites un voyage, vous gagnerez de l'argent ; vous obtiendrez la place que vous désiriez.

N° 11. Souffrance et mort autour de vous ; vous ne verrez pas celui (celle) que vous désirez parce qu'il (elle) pleure de douleur ; vous sauverez votre mariage même si votre époux(se) n'est pas honnête ; vous n'aurez aucun héritage ; vous vous fatiguerez inutilement pour obtenir la reconnaissance de vos droits ; vous n'aurez aucune promotion ; quoique innocent vous

Deuxième cercle : du n° 7 au n° 12

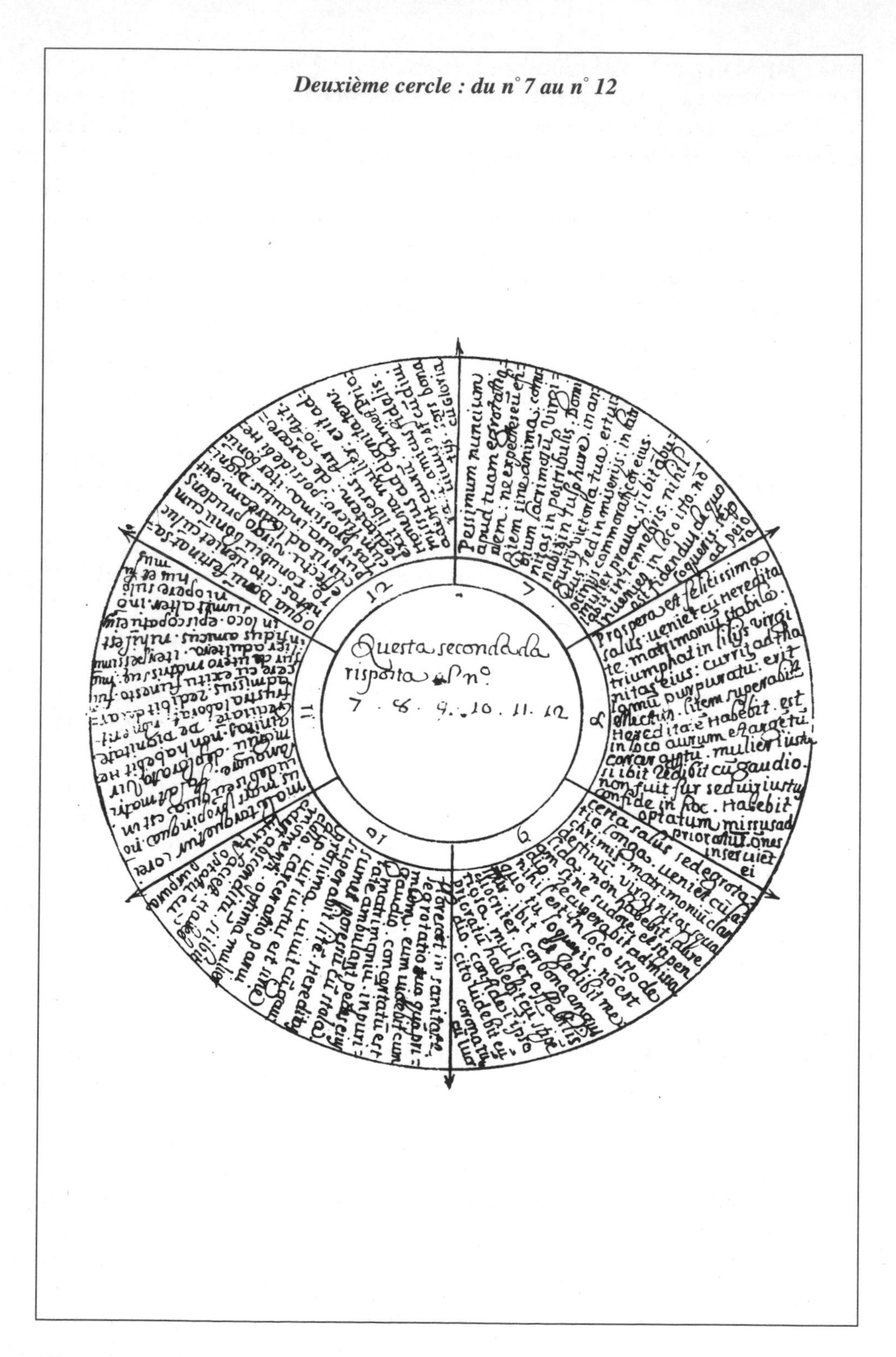

serez jugé coupable ; vous aurez un fils voleur ; votre femme (votre mari) vous trompera ; vous ferez un voyage désastreux ; vous aurez des amis trompeurs ; vous ne trouverez rien ; la place que vous briguez sera donnée à une autre personne, tout s'évanouira en fumée.

N° 12. Vous serez bien vite guéri ; vous gagnerez sous peu de l'argent ; vous ferez un excellent mariage d'amour ; votre femme sera vertueuse ; vous êtes ambitieux(se) ; vous remplirez bientôt une fonction importante ; vous ferez un voyage qui vous apportera la richesse ; vous gagnerez tous vos procès ; vous ne serez pas volé ; vous aurez une femme (un mari) honnête ; vous trouverez un trésor, vous aurez des amis fidèles ; vous aurez un destin prospère et très satisfaisant.

TROISIEME CERCLE (chiffres restants : 13, 14, 15, 16, 17, 18)

N° 13. Une longue maladie changera votre caractère ; des difficultés pointent à l'horizon ; vous ferez un héritage qui vous procurera des ennuis ; vous n'arriverez pas à conquérir la femme (l'homme) que vous aimez ; vous rencontrerez des personnes qui chercheront à vous nuire, vous serez dévalisé ; vous aurez de faux amis ; votre femme (votre mari) sera perverse ; vous ferez un mauvais voyage ; vous ne trouverez rien de bon ; vous allez à l'encontre de nombreuses difficultés ; dans les procès vous n'obtiendrez pas gain de cause ; vos ennemis sont sur le pas de la porte ; vous vivrez chichement ; vous serez reconnu coupable mais vous resterez en liberté ; vous marcherez dans les ténèbres.

N° 14. Vous serez bien vite en bonne santé ; vous serez bientôt riche ; vous ferez un mariage heureux et prospère avec une femme (un homme) aux grandes qualités qui vous comblera sur tous les points de vue ; vous êtes porté à la carrière ecclésiastique ; vous ferez un héritage ; votre cœur connaîtra un grand bonheur ; vous serez volé mais vous ne subirez pas trop de dommages ; vous devrez avoir confiance ; vous aurez une bonne épouse ; vous ferez une excellente carrière.

N° 15. Un médicament peu connu vous guérira d'une plaie incurable ; vous ne verrez pas la personne que vous attendez parce qu'elle mourra ; n'attendez rien de bon du mariage ; vous aurez une femme ou un mari frivole et infatué ; votre place sera prise par un autre ; vous travaillerez en vain ; votre route sera parsemée d'embûches ; vous aurez toujours à vos côtés un voleur ; vous souffrirez ; vous n'atteindrez pas votre but ; vous serez méprisé par vos amis ; vous vivrez au bord d'un gouffre ; votre vie oscillera toujours ; vous mourrez loin de votre terre natale.

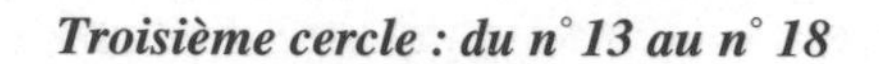

Troisième cercle : du n° 13 au n° 18

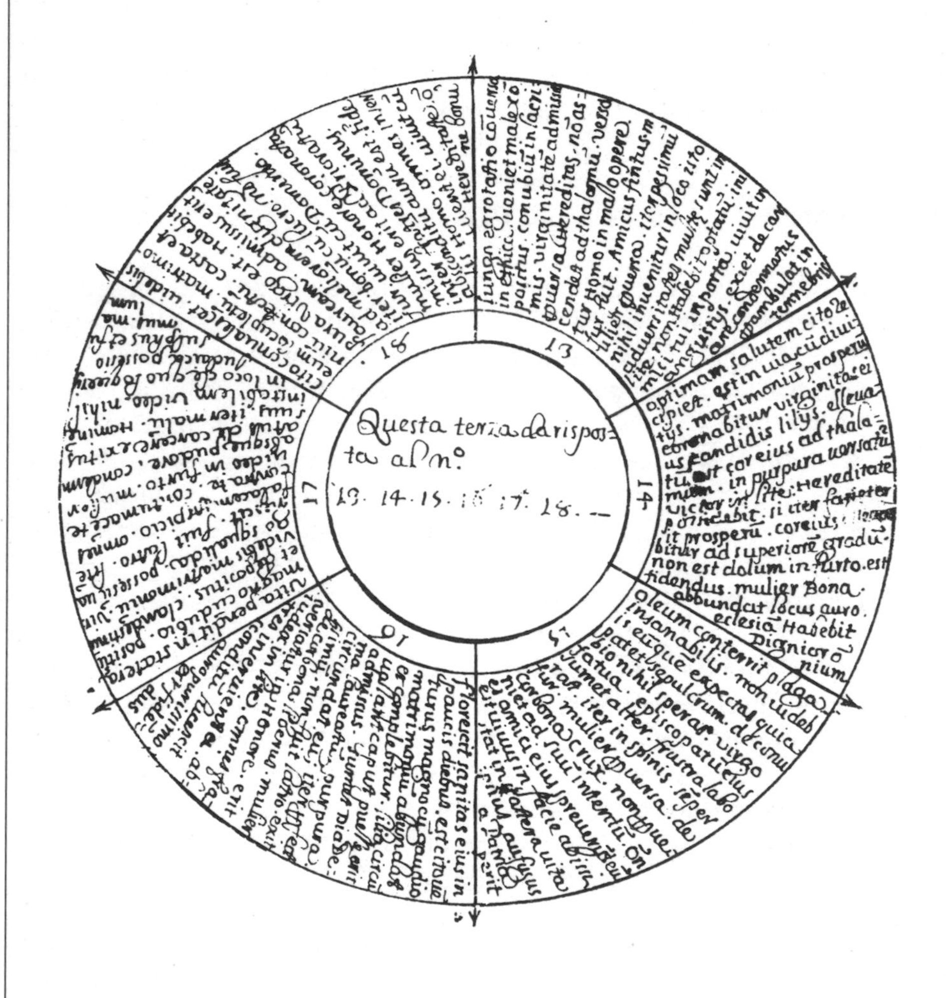

N° 16. Vous serez guéri en peu de jours ; le bonheur est tout proche ; vous ferez un mariage heureux et les cheveux de la mariée seront couverts de lys ; vous ferez une splendide carrière ; vous ferez un voyage fructueux, vous ne serez pas volé ; vous serez toujours libre ; votre femme sera toujours honnête ; vous serez le juge de toute cause ; tous seront à vos côtés ; vous aurez richesses et satisfactions ; tout le monde vous croira.

N° 17. Votre vie oscillera comme sur une balance ; vous serez embauché et licencié ; vous ferez un mariage clandestin ; vous aurez une femme (un mari) peu intéressante ; vous perdrez toutes vos propriétés ; vous serez volé ; vous vous disputerez pour des motifs futiles ; tout le monde sera contre vous ; votre femme sera impudique ; vous serez condamné ; vous ferez un mauvais voyage ; vous avez un caractère instable ; vous ne trouverez rien où vous pensiez trouver quelque chose ; vous aurez des malheurs et des peines.

N° 18. Vous guérirez bien vite ; vous deviendrez bientôt riche ; vous aurez une femme chaste et loyale ; vous ferez carrière ; vous aurez de l'avancement ; vous ferez un voyage fructueux ; vous ne serez pas volé ; vous vivrez religieusement ; vous aurez une femme (un mari) honnête ; vous serez appelé à de hautes fonctions ; vous serez serein en compagnie ; tout le monde collaborera avec vous ; vous vivrez de rentes ; tout vous réussira.

QUATRIEME CERCLE (chiffres restants : 19, 20, 21, 22, 23, 24)

N° 19. Vous mourrez d'une grave maladie ; malade, vous serez contraint à vivre au bord de mer ; vous ferez un mauvais mariage ; votre femme (votre mari) sera malhonnête ; vous n'obtiendrez pas ce que vous désirez ; vous vous fatiguerez inutilement dans votre profession ; vous serez dévalisé ; vous n'obtiendrez pas de promotion, vous ferez un mauvais voyage inutile ; vous serez privé de vos biens ; les ennemis sont tout proches ; l'avenir est sombre.

N° 20. Votre santé est prospère ; vous recevrez de l'argent ; la famille vivra en paix ; vous aurez une femme (un mari) parfaite ; vous ferez carrière ; vous parcourerez un chemin profitable ; vous reviendrez chez vous en ayant gagné de grosses sommes d'argent ; vous serez un homme (une femme) honnête et juste ; vous trouverez des richesses là où vous pensiez qu'elles étaient ; vous sortirez vainqueur d'un litige ; vous n'aurez aucune condamnation ; vous jouirez d'une bonne position ; prochaine promotion ; l'avenir vous réserve richesse et gloire.

Quatrième cercle : du n° 19 au n° 24

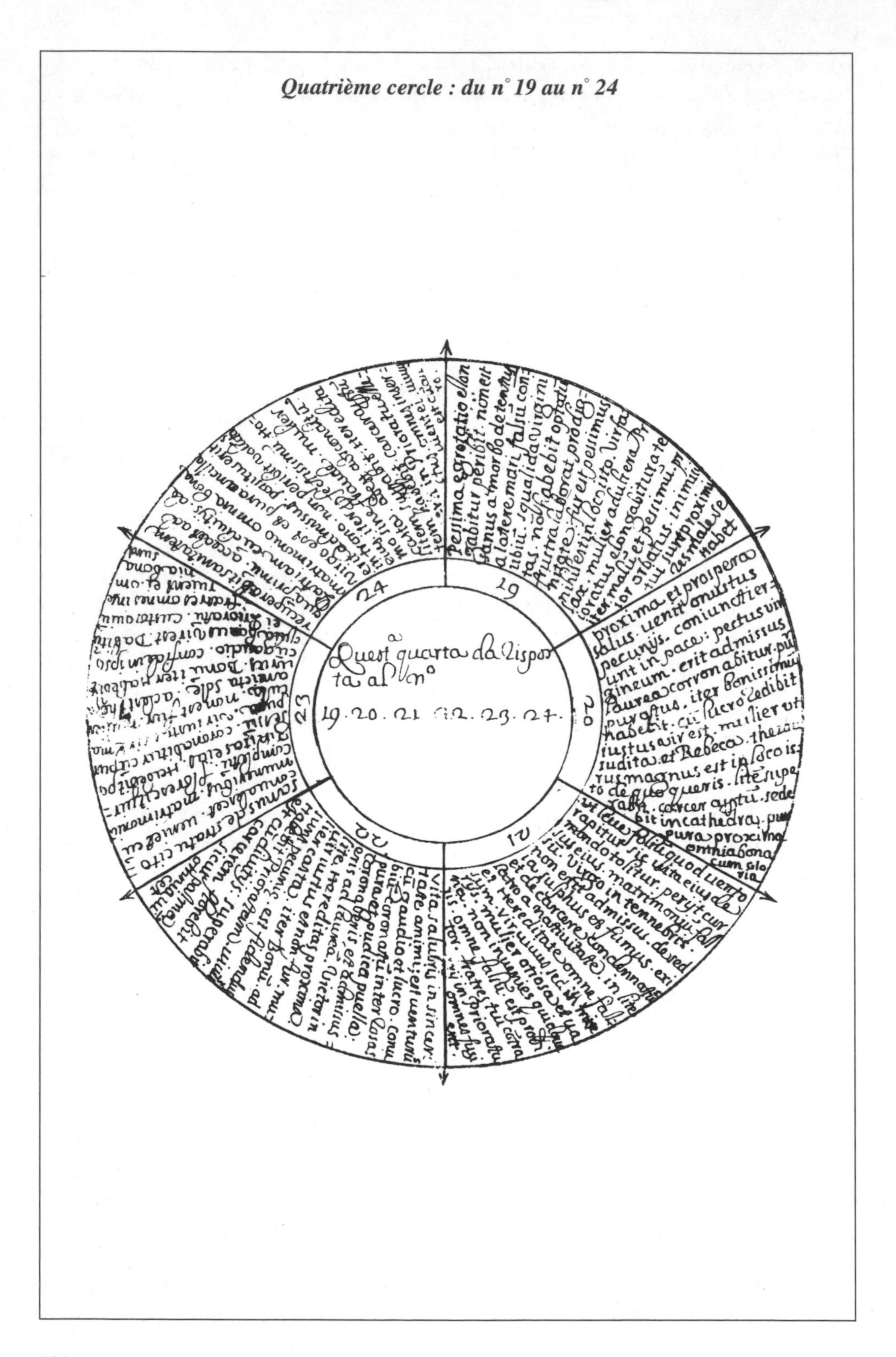

N° 21. Votre vie sera coupée brutalement comme la feuille par le vent ; votre carrière sera tronquée ; vous ferez un mauvais mariage ; votre femme (votre mari) se comportera mal ; vous ne serez pas élu ; vous aurez des chagrins et des contrariétés ; vous serez condamné injustement ; tout résultera faux ; vous serez en but aux mensonges et aux trahisons ; vos collègues de travail seront contre vous et tout le monde vous fuira.

N° 22. Vous jouirez d'une bonne santé pendant toute votre vie et vous avez une âme pure ; vous serez heureux et riche ; vous ferez un beau mariage ; vous vous marierez avec une jeune fille pure et timide ; vous ferez une carrière fulgurante ; vous allez avoir bientôt un héritage ; vous êtes un homme (une femme) très honnête ; votre femme (votre mari) vous sera fidèle ; vous ferez un bon voyage ; on croira en vous ; vous aurez une promotion et vous vivrez dans l'abondance ; vous gagnerez un procès ; vous sortirez vainqueur de toutes les adversités.

N° 23. Vous passerez bien vite de la maladie à la guérison ; vous serez bientôt riche ; mariage excellent car votre épouse (votre époux) sera parfaite ; vous gagnerez une fortune et vous serez promu ; vous serez jugé comme un homme (une femme) juste et sans taches ; vous ne serez pas volé ; votre femme semblera être habillée de soleil ; vous serez riche ; vous ferez un excellent voyage ; ayez confiance dans les personnes bonnes ; vous ferez carrière ; tout le monde vous aidera ; prospérité dans le futur.

N° 24. Vous guérirez bien vite ; vous retournerez très riche dans votre patrie ; vous vous marierez avec une jeune fille (un jeune homme) honnête et bonne ; vous serez promu à de hautes fonctions ; la volonté ne vous fera jamais défaut ; vous ferez un voyage excellent et profitable ; vous aurez des amis loyaux et une femme chaste ; vous trouverez ce qui est caché ; vous réglerez des différends ; vous aurez un héritage ; tout votre entourage collaborera avec vous ; vous vivrez au milieu des richesses.

CINQUIEME CERCLE (chiffres restants : 25, 26, 27, 28, 29, 30)

N° 25. Vous aurez une très longue maladie, mais vous n'en mourrez pas ; n'attendez pas la personne que vous désirez voir car elle sera très occupée ; vous ferez un mariage malheureux mais la jeune fille est bonne et pure ; vous gagnerez un procès ; vous hériterez ; vous ferez un voyage à l'abri de tout danger ; vous ne serez pas volé ; vous n'irez pas en prison ; vous trouverez ce qui est caché ; vous ferez carrière et réaliserez d'excellentes affaires ; votre femme sera chaste ; vous aurez des amis sincères.

N° 26. Vous serez bien vite en bonne santé et vous serez riche ; vous ferez un bon mariage avec une femme sincère et pure comme un diamant et vous serez très heureux avec elle ; vous ferez carrière ; vous ferez un voyage très chanceux ; vous gagnerez un procès ; vous ne serez pas volé ; vous serez un homme (une femme) honnête et votre femme (votre mari) sera fidèle ; vous trouverez par hasard une fortune ; vous remplirez de hautes fonctions ; vous bénéficiez d'une protection divine et vous serez couronné de gloire.

N° 27. Pendant votre maladie, vous aurez beaucoup de difficultés et après votre convalescence vous rechuterez aussitôt ; n'attendez pas la personne que vous désirez voir ; votre mariage sera tumultueux ; vous vous marierez avec une femme pure ; vous rencontrerez des personnes ambiguës ; votre femme (votre mari) deviendra adultère ; vous serez volé ; vous perdrez votre poste ; vous ne trouverez ni paix ni richesses ; vous aurez de nombreuses difficultés dans vos procès ; vous ferez un mauvais héritage ; tous seront contre vous ; vous vivrez pauvrement.

N° 28. Vous guérirez très vite et vous serez en bonne santé ; vous serez bientôt heureux ; vous ferez un mariage prospère avec une jeune fille pure et vous lui serez fidèle ; vous ferez carrière ; tout le monde vous aidera, vous avez été et vous serez toujours un homme (une femme) juste ; il vous arrivera quelque chose d'imprévu ; votre femme sera vertueuse ; vous serez choisi pour remplir de hautes fonctions ; vous ferez un heureux voyage ; vous ne serez pas condamné ; vous obtiendrez des gains sans peiner ; vous recevrez un héritage ; vous vivrez heureux.

N° 29. Vous serez toujours en bonne santé ; vous serez bientôt riche ; vous ferez un heureux mariage ; votre épouse sera pure ; vous ferez carrière et en même temps vous aurez une vie aisée ; vous serez un dominateur (une dominatrice), un homme (une femme) joyeux, marié à une femme (un homme) fidèle ; les voyages vous procureront de nombreux avantages ; vous trouverez tout à fait par hasard de grandes richesses ; vous vivrez d'une façon aisée ; vous remplirez de hautes fonctions plus tôt que prévu ; vous sortirez victorieux des disputes ; vous hériterez ; chance et bonheur dans le futur.

N° 30. Votre santé est médiocre ; vous rencontrerez plus tard un ami ; votre mariage sera serein ; votre épouse (votre époux) sera honorée ; vous ferez carrière tard ; vous obtiendrez une place après avoir beaucoup peiné ; vous serez triste et taciturne ; vous serez volé ; vous aurez des dettes pendant longtemps mais vous ferez un héritage ; vos collègues essaieront de vous empêcher de faire carrière ; vous ferez un voyage peu chanceux ; vous aurez des contrariétés.

Cinquième cercle : du n° 25 au n° 30

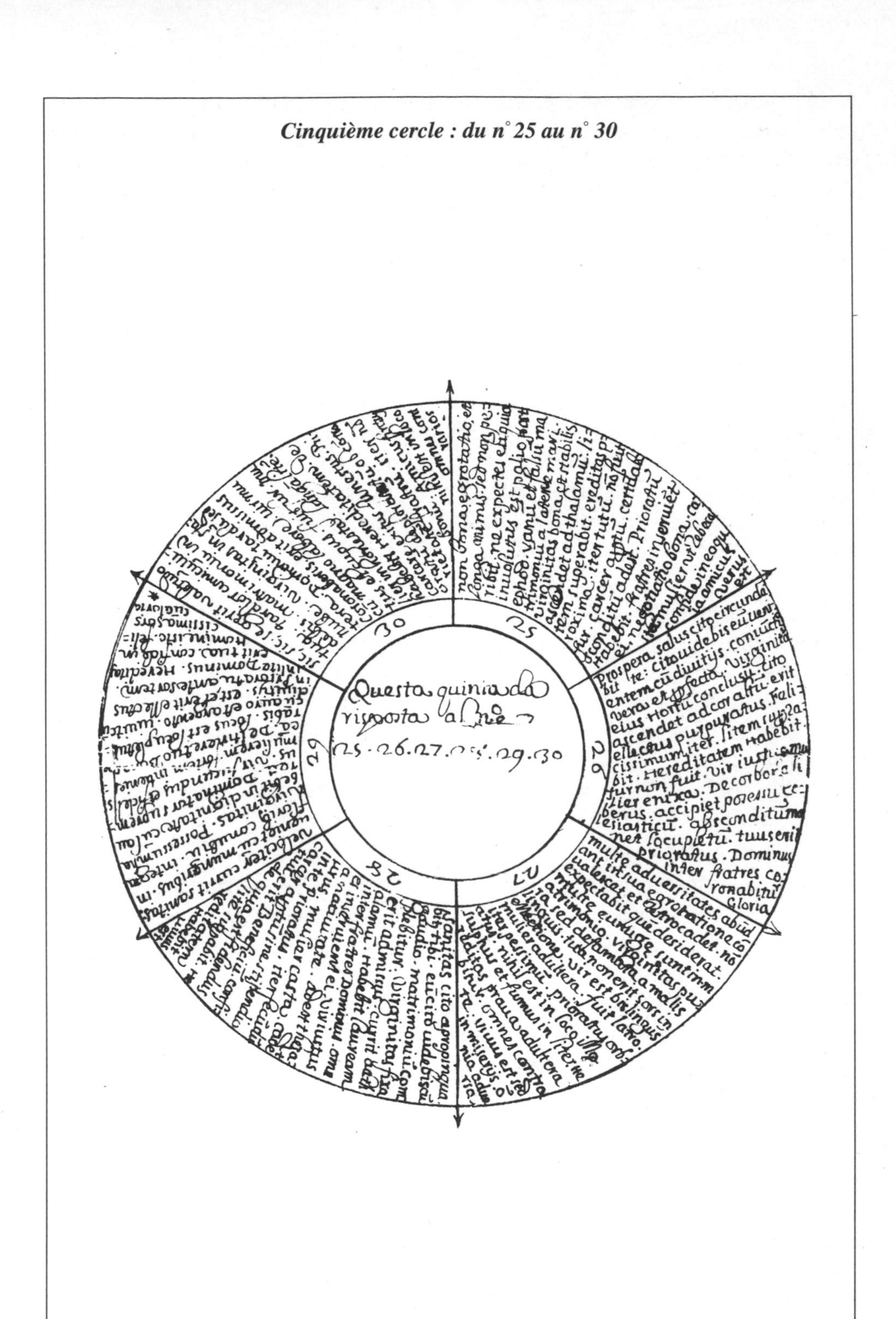

Bibliographie

AULISIO FRANCK, *Encyclopédie universelle des rêves*, éd. De Vecchi, 1993.

DI MOLA GEORGES, *Vaincre l'insomnie*, éd. De Vecchi, 1993.

FILICI HORACE, *Le message des rêves*, éd. De Vecchi, 1987.

FRANCASTEL PIERRE, *L'image, la vison et l'imagination*, éd. Denoël-Gonthier, 1983.

FREUD SIGMUND, *Cinq leçons sur la psychanalyse*, ed. Payot, 1978.

FREUD SIGMUND, *Essais sur la psychanalyse*, éd. Payot, 1976.

KARMADHARAYA, *Interprétez vos rêves*, éd. De Vecchi, 1986.

MONTESCHI ANNE, *Le dictionnaire des rêves*, éd. De Vecchi, 1986.

SANFO VALÉRY, *L'extraordinaire pouvoir des rêves*, éd. De Vecchi, 1993.

TODOROV TZVETAN, *Théories du symbole*, éd. Points-Seuil, 1977.

TOFFOLI ANGÈLE, *Le manuel pour interpréter les rêves*, éd. De Vecchi, 1984.

TUAN LAURA, *Le grand livre des rêves prémonitoires*, éd. De Vecchi, 1992.

VON ALTEN DIANE, *Guide complet pour interpréter les rêves,* éd. De Vecchi, 1988.

Table des matières

DEUXIEME PARTIE : Dictionnaire des songes prémonitoires
par Diane Von Alten

Achevé d'imprimer en février 2004
à Milan, Italie,
sur les presses de Grafiche Mazzucchelli S.p.A.

Dépôt légal : février 2004
Numéro d'éditeur : 8554